生活中，我们常听到一些人说："望子成龙，望女成凤"，现代社会对女孩也提出了和对男孩同样的要求——有出息，出息已经成为很多妈妈教育成败的一个重要指标。当然，这里所谓的出息，并不单指其事业成就，而是一个女孩的能力、眼界、心胸等各个方面。

英国著名作家塞缪尔·斯迈尔斯曾经说过："女性的素质决定着整个民族的素质。"的确，一个女孩是否优秀，小则关乎一个人的人生，大则关乎整个民族的命运。积极向上、乐观开朗的女孩，到哪儿都像一片美好的风景，让周围的人如沐春风；而自卑狭隘的女孩，则会使自己的周围蒙上一片灰暗的阴影。

那么，什么样的女孩才是有出息的？

曾经有一位富豪在为自己的女儿制订培养计划时写道，一个优秀的女孩应该有以下品质：

她自信大方，走路时眼睛平视前方；

她懂礼貌、知礼仪，在路上遇到认识的人会主动打招呼，会对陌生人微笑；

她的脸上总是洋溢着阳光般的微笑，因为她知道一个爱笑的女孩运气绝不会太差；

她壮志凌云，有着比很多男孩都远大的志向；

她积极向上、勤奋刻苦，知道自己想要什么样的人生；

她天真烂漫，像公主一样追求美好；

她真诚、率真，做人做事不会藏着掖着；

她尽职尽责，自己分内的事一定会努力做好；

她内心善良有爱，愿意帮助周围需要帮助的人；

她孝顺妈妈，闲时愿意依偎在妈妈身边享受家庭时光；

她有着较高的修养，即使遇到恶意中伤自己的人，她也会以微笑回应：

……

当然，一个优秀的女孩应该具备的素质远不止这些。我们可以说，一个女孩是否有出息，第一要看她是否有志气，有没有远大的抱负；第二要看她是否能全方位地审视自己、找到自己的不足，然后不断完善自己；第三要看她心胸是否开阔、气度如何；第四要看她是否有从容不迫、处变不惊的智慧。如果能做到这四条，这个女孩将来肯定会有大出息。

有人说，每个女孩心中都有一个公主梦，但真正的公主并不是有着天仙般的外貌，而是有着公主般高贵的气质。当然，女孩想要实现"公主梦"，"魔法棒"掌握在妈妈们手里，因为妈妈是女孩人生路上的引路人，女孩的品质、气质、修养、学识等都离不开妈妈的教育。那么，妈妈该如何教育女孩，才能让她更有出息呢？

这就是我们在本书中要阐述的内容，本书从女孩的性格、品质、气质培养、能力、思维培养等多个方面出发，为家有女孩的妈妈提供了69个教育细节。希望这些教育方法能帮助妈妈培养出自信、正直、有爱心、优雅、高情商的女孩，愿每一个女孩都能成为幸福的人，都能蜕变成"有出息的公主"。

海艳

2023年4月

目录 CONTENTS

01 第 01 章
自立自强，有出息的女孩气度不凡

女孩大方得体的气质需要妈妈从小培养 / 002

女孩有足够的安全感才会自信 / 004

女孩乐观开朗，才会受人欢迎 / 007

要保护女孩的"公主"心 / 008

妈妈要鼓励受伤的小丫头 / 011

告诉女孩，可以忍耐但不能怯懦 / 013

02 第 02 章
以爱浇灌，使女孩成为美丽与智慧并存的公主

妈妈给足精神财富，女孩更高贵 / 018

精神富足的女孩，未来更出色 / 021

品质优秀的女孩更有出息 / 022

妈妈教育女孩，要注意方式方法 / 025

培养女孩，绝不可使女孩落入庸俗 / 027

要从小培养女孩善良的本质和爱心 / 029

自信的女孩拥有别样的优雅气质 / 031

第 03 章
不宠不娇，妈妈要培养出一个没有公主病的公主

女孩爱美，但也不能过度注重穿着打扮 / 036

妈妈带女孩吃点儿苦，让女孩受益一生 / 038

引导女孩养成勤俭节约的生活习惯 / 040

尽早独立，让女孩更出色 / 042

女孩需要悉心呵护，但不可娇惯纵容 / 045

妈妈要小心女孩养成自私自利的坏习惯 / 046

健康的心态是培养女孩的重中之重 / 048

第 04 章
积极阳光，妈妈引导女孩牢牢把握人生的方向

告诉女孩勇于说"不"，不做来者不拒的"软柿子" / 054

积极进取且谦虚谨慎的女孩未来走得更平稳 / 056

妈妈要培养女孩坚强又温柔的个性 / 058

引导女孩喜欢自己，不做挑刺儿的完美主义者 / 061

从小训练女孩积极应对生活中困难的能力 / 063

如何引导女孩从挫折中尽快走出来 / 065

女孩失败了，妈妈要鼓励她再尝试一次 / 068

第 05 章
品格修养，有出息的女孩有所为有所不为

百善孝为先，教育女孩孝顺妈妈 / 072

培养脚踏实地的女孩，杜绝女孩虚荣攀比 / 074

妈妈要告诉女孩"欲做事先做人"的道理 / 077
有公德意识，是女孩成才的前提 / 079
谈吐优雅的女孩人见人爱 / 081
女孩助人为乐，妈妈要及时赞扬 / 084
心胸开阔，宽容待人的女孩运气不会差 / 086

06 第06章
自我认知，妈妈要做女儿成长路上的引路人

合理引导女孩从错误中成长 / 090
女孩天生敏感，妈妈别用简单的说教来教育 / 092
妈妈要尊重女孩的主见 / 094
教育女孩，绝对不能口不择言 / 097
女孩自尊心强，不要在人前批评她 / 099
女孩犯错，妈妈要先给她解释的机会 / 101
妈妈要保护女孩的自尊心 / 104

07 第07章
眼界开阔，妈妈要培养女孩从小学会抵挡诱惑

见识广的女孩，有更出色的判断力 / 108
有主见的女孩，有更强的自我控制力 / 110
有修养的女孩，不做脾气的奴隶 / 113
妈妈要引导女孩丰富精神世界，避免其沉迷网络 / 115
培养心思细腻的女孩，学习做事更注重细节 / 117
培养独立女孩，能干的女孩更优秀 / 120

懂事的女孩懂分寸，绝不任性妄为 / 122

08 第 08 章
独立自主，妈妈要训练女孩超越于同龄人的自立能力

从小会自己穿衣打扮的女孩更自主 / 128

存钱罐，妈妈可以让女孩自己管 / 130

适当放手，让女孩自己的事自己做主 / 132

做事有计划和条理，女孩才不会手忙脚乱 / 134

给女孩发表意见的机会 / 137

鼓励女孩多参加社会实践 / 139

女孩要学会对自己的行为负责 / 141

09 第 09 章
能力培养，妈妈要做女孩天赋与潜能的开拓者

口才是女孩的一大优势 / 146

妈妈要从小培养女孩的动手能力 / 148

时间管理能力是出色女孩的必备素养 / 150

妈妈要从小激发女孩的学习热情 / 153

尽早挖掘女孩的天赋，开启女孩有出息的一生 / 156

妈妈绝不能"以成绩论英雄" / 158

永远保护好女孩的想象力 / 161

第10章
气质修炼，知书达理的女孩人见人爱

镇定自若、气定神闲的女孩拥有过人的魅力 / 166

永远不要打压女孩活泼的天性 / 168

腹有诗书气自华，从小培养女孩的阅读兴趣 / 170

女孩的音乐素养要从小开发 / 173

女孩的气质要从小培养 / 174

从小培养女孩对生活的情趣 / 177

告诉女孩要杜绝小家子气 / 179

参考文献 / 181

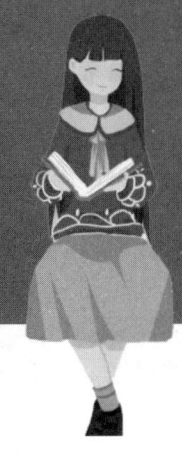

第01章
自立自强,有出息的女孩气度不凡

　　我们发现,生活中有很多女孩,即使面对比她弱小的对手也会退缩不前,即使自己的玩具被抢走也不敢要回来……这样的女孩,实际上是把自己禁锢在了失败者和自卑的假象里,而且是未出征先言败,又何谈将来的成功呢?的确,女孩可能身体娇弱,但是妈妈决不能为自己的女儿贴上"弱者"的标签。孩子的性格需要细致的培养,这就好比灿烂的花,要精心滋养,周到看顾,细致呵护,才会弥久散发脱俗的芬芳,女孩良好的心态取决于妈妈正确的教育方式。为了让女孩适应以后竞争激烈的社会生活,妈妈应该根据女孩特有的柔与韧,将你的女儿培养成一个自信、自强、刚柔并济、骄傲的公主!

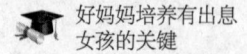
好妈妈培养有出息女孩的关键

女孩大方得体的气质需要妈妈从小培养

妈妈都希望自己的"小公主"在人前人后都能落落大方、自信十足，这样的女孩长大后才能"上得厅堂，下得厨房"，才懂得如何不卑不亢地待人接物。这也是培养女孩的宗旨和目标之一。如何让女孩不再胆小怕羞、不自信，是困扰许多妈妈的常见问题，也是妈妈们急于得到答案的问题。而解决女孩不自信的一个重要方法就是，让孩子在陌生人面前大方地表现自己，这有助于开阔她的眼界，增强她的阅世能力，从而大大增长她的见识。

在让女孩学会大方表现之前，要先分析出女孩胆小、不自信的原因，然后才能对症下药。严格地说，胆小怕羞是孩子进行自我保护的自然行为，随着年龄的增长和与外界接触次数的增多，胆小怕羞的行为就会越来越少。但是也有些女孩四五岁甚至小学几年级了还是很胆小、很怕羞，这个时候妈妈就应该给予重视并想办法纠正了。一般来说，造成女孩胆小怕羞的原因主要有以下几点：

1. 幼年时与外界接触比较少

女孩虽然天生是敏感、怕羞、多疑的，但后天可以得到改善。生活中，我们见到的一些胆小怕羞的女孩，多数在婴幼儿期由爷爷奶奶带，不常见生人，不常和小朋友一起玩耍。我们还可以发现，一般在校园里长大的女孩都比较胆大、放得开。所以，带孩子多和外人接触，让孩子多开阔眼界，让孩子多和小朋友一起玩耍，多参加集体活动，是改善孩子胆小怕羞最好的方法。

2. 妈妈不恰当的教育

很多妈妈错误地把女孩的胆小怕羞当作一个大的缺点来对待，急于纠正，但又方法不当。有些妈妈常常人前人后地提醒孩子，还强迫孩子在陌生人面前表现自己，当孩子不肯表现的时候，为了给自己一个台阶下，便当着别人的面说孩子胆小怕羞。这样不但不能改善孩子的胆小怕羞，反而会加重孩子内心的紧张，使孩子变得更不愿和人交往。

4岁的菲菲是个性格内向的孩子。一天她随妈妈出门，遇见了妈妈的一位朋友。妈妈与朋友攀谈起来，菲菲胆怯地躲在妈妈身后，低头吮吸着大拇指。妈妈说："菲菲，这是丁阿姨，问阿姨好。"菲菲只是抬头看了阿姨一眼，就又低下头，继续吮吸她的手指。妈妈好言相哄，让菲菲走过来，但菲菲只是摇头。妈妈感到尴尬，可又不好在朋友面前发火，只好向她的朋友道歉说："菲菲是个胆怯的孩子，我想她是不好意思了。"

妈妈这么一说，无疑强化了菲菲的胆小。

3. 妈妈对孩子过于严厉

有些妈妈对孩子过分严厉，久而久之，使孩子畏惧妈妈，敏感于别人对自己的评价。她们对自己的一言一行非常重视，唯恐有差错，这种心理导致她们在人际交往中表现得不自然、不大方。

其实，妈妈要明白，女孩无论从身体上还是心理上，相对于男孩都娇弱很多，这也是要更加呵护女孩的重要原因。女孩需要小心地呵护和鼓励，过度呵斥孩子只会扼杀孩子的自信心，甚至让孩子变得胆小怕羞。

有的女孩自信心不足，对自己在学习和其他方面的能力作出的评价偏低，做事谨小慎微，由认知上的偏差发展为自卑型人格，表现在外部就是胆小、怕羞、孤僻、沉默寡言。基于这些，妈妈要积极营造轻松、愉悦、和谐的家庭气氛，消除孩子的紧张情绪。要多鼓励、少批评，抓住孩子的闪光点进行表扬，帮助孩子克服自卑，鼓励孩子勇敢地表现自己、张扬个性。这样就能使孩子克服自己的胆怯，变得大方开朗、热情阳光了。那么，具体来说，妈妈要让你的"小公主"自信地"登场"，还需要做到：

第一,"巧"邀请。平常我们习惯说:"宝宝来为大家表演一个节目吧!"或是"给大家唱首歌!"不管你的巴掌拍得有多响,这对孩子的尊重都是不够的,只要换成"宝宝,妈妈想邀请你为大家表演,你想讲个故事还是唱首歌呢?"用真诚尊重的态度,巧妙地运用二选一的方法,可以引导孩子快乐地选择,巧妙地用语言为孩子指引行动的方向。

第二,组织家庭晚会,创造表演的机会。晚会定期举办,可以每周一次或一个月一次,但每个成员都必须出一个节目,当然也可以是几个人一起表演小品或情景剧,形式多样,朗诵、游戏都可以。让孩子与家人在游戏中享受亲子时光,热爱表演。

第三,妈妈以身作则,提供有效的"模仿源"。身教对孩子的影响永远比言教要大,可生活中光说不练的妈妈还是不少,因此,妈妈要注重自己与人交往的方式,在活动中注重提高自己的参与度和热情度。

只要做到了这三点,女孩就不会出现"拒演"的情况了。让孩子在陌生人面前大方地表现自己,通过表演来增强她的自信心,就能提高她的社交能力。大方地与人交往,是女孩必备的社交能力,这种能力源于自信,这样的女孩才会是一个自信、骄傲的"公主"!

女孩有足够的安全感才会自信

人活于世,都需要一种归属感,人们强烈地希望自己归属于某一组织或者个人。而对于一个女孩,最初的归属感是感受到来自生育了她的母亲的爱。随着不断地成长、与社会的接触逐渐增多,她的归属感就更强烈,但在与人交往的过程中难免会受到伤害,比如,被人不留情面地批评,使她感觉被人排斥、压力过大或者精神极度疲劳。这时,妈妈要让女儿知道你永远是她的依靠,家永远是她的避风港。

女孩和男孩天生不一样,男孩在受伤时,大可以一笑了之,而女孩则需要安慰，需要妈妈的用心庇护。让女孩能够在失意、落魄的时候，走出心理阴影，否则，她就可能到别的地方寻求安慰以获得归属感，并可能通过危险的非法方式获得乐趣和认可，那么，后果将不堪设想。很多女孩离家出走，误入歧途，就是因为得不到家人的认同和慰藉。

那么，妈妈具体应该怎样去增强孩子的家庭归属感呢？

第一，和女儿保持交流。交流沟通能力在促进人们社交健康、情感健康和个人成功方面起着关键作用。如果妈妈不与女孩交谈，女孩可能将之理解成对她的忽视，久而久之，会给她的自尊、自我价值感以及她对未来家庭关系的信任带来毁灭性的影响。

女孩在生活中受挫的时候，需要妈妈的鼓励，否则会导致她严重的受挫感。如果妈妈理解并接纳女儿的感受，那么，她就可能会接纳并表达自己的感受。另外，妈妈也可以帮助她提出要求。比如对她说："我想你现在很难过，给你一个拥抱，你会觉得好点儿吗？"这样的话能让她放松地表达自己的想法："我现在心情不好，只想得到一些安慰。"

第二，做她最后的庇护者。当你的女儿正处于困难时期，当她再也无法忍受、筋疲力尽、无法继续伪装坚强之时，她需要一个藏身之所，需要某个地方或某个人成为她最后的庇护所或庇护者。在这里，她会展示真实的自我；在这里，至少在很短的一段时间，没有人要她负责任，她可以被无条件地接受；在这里，她可以真正放松下来，因为她知道，有人愿意暂时成为她坚强的后盾，分担她一时的负担，让她得到解脱。

家显而易见应该是孩子最后的庇护所，妈妈应该成为孩子最后的庇护者，因为妈妈对孩子非常重要，虽然在某些时候或情况下，妈妈可能觉得自己缺乏足够的情感储备，不能为孩子提供其所需要的慰藉。这个时候，你不用对女儿说什么或者做什么，而应该好好考虑一下，除了与她保持亲近外，她是否还需要你为她做些什么。要让她恢复对自己的信心，其实并不需要付出太多的努力。

（1）当你的女儿请求原谅时，请接受她抛来的橄榄枝，并尽力忘记那些

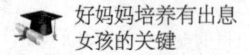

不愉快的事情。

（2）为她提供庇护，并不意味着你对那些已经发现的有问题的行为视而不见、不理不睬。

（3）积极主动，想她之所想，预见她的感受，如果你认为她需要，请主动给她以安慰。

（4）在没有压力的日常生活中，找个机会开诚布公地告诉她，在她需要的时候，家永远是她最后的庇护所，而妈妈永远是她最后的庇护者。

第三，给面临压力的孩子以支持。压力不仅困扰着成年人，事实上，女孩也面临着双重的压力。一方面，她要承受来自自身生活中的压力，如学业压力和交友问题的压力；另一方面，她还受到心事重重、缺乏忍耐的妈妈所面临压力的间接影响。面对压力，她们可能比成年人更加迷茫而不知所措。

一位母亲说："我过去认为我女儿挺好的。尽管她孤独了些，但看起来生活得不错。我的生活也还行。我们之间交谈不多。后来，在准备中考的时候，她开始逃避一切事情。如今她不学习，整天关在家里，也不说话。我们的生活真的是一团糟。"

这个女孩的表现就是因为压力过大。如果你的女儿长时间地难过或者郁郁寡欢，超出了你的预期，或者变得富有攻击性、离群索居或者不愿与人交往、睡眠不安、注意力不集中，或者过分依附他人，这时，她可能正感到痛苦和难过，需要你对此采取一些慰藉她的行动。此时，你应及时告知她事情的变化及作出的决定，以便她感觉到生活没有脱离自己的控制，从而能够保持生活的常规不变，以强化她的安全感。

女孩生来体质娇弱，正如花儿一样，需要妈妈的精心呵护。只有给予她足够的爱，她才会理解爱的内涵，才会积极健康、乐观向上地成长，这不正是妈妈所希望的吗？做孩子坚强的精神后盾，她的成长才有保障。

女孩乐观开朗，才会受人欢迎

女孩是美玉，是鲜花，是所有美好的代名词，可是，人们不会去欣赏无精打采、垂头丧气的鲜花，被尘土覆盖的美玉也难以受到人们的重视。女孩如果总是沉浸在阴郁愁苦之中，就很难有所成就，也很难被人欣赏。著名心理学家塞利格曼指出：妈妈教育孩子的方式正确与否，显著地影响着孩子日后性格是乐观还是悲观。因此，妈妈要积极营造一个乐观和谐的家庭氛围，让孩子在乐观中逐渐找到生活的自信。一位教育专家有句名言："培养笑容就是培养心灵。把孩子培养成面带笑容的孩子，就是把孩子培养成为乐观、进取的人的最重要条件之一。"

著名潜能开发大师迪翁常常用一句话来激励人们进行积极思考："任何一个苦难与问题的背后，都有一个更大的幸福！"的确，一个乐观开朗的人，无论面对什么样的生活，都有能力重新开始，即使在山穷水尽中，也能重新走入柳暗花明。对于任何一个人来说，这种性格是比什么都重要的财富。

因此，妈妈在培养女孩的过程中，乐观性格的培养是必不可少的。也许有些女孩天生就比较乐观，有些女孩则相反。但乐观思想是可以培养的，即使孩子天生不具备乐观的性格，也可以通过后天的努力来实现。具体来说，妈妈要做到以下几点：

第一，妈妈要有乐观的思维模式，用乐观的心态和家庭氛围来感染孩子，妈妈的乐观，可以造就女儿的乐观，因为妈妈的积极，才能更好地培养女儿的积极。

在女孩的成长过程中，她会一直看着妈妈，如果妈妈在处理自身问题和家庭问题时持乐观态度，那么孩子通过观察和模仿会逐渐养成乐观的性格。当孩子遇到不顺利的事情而悲观时，妈妈应带领孩子对问题进行多方面的思考和衡量，并让孩子明白她的思想中存在的逻辑错误。一个自信乐观的妈妈，总是能够培养出心态乐观的孩子，总是能够为女儿营造积极乐观的家庭氛围。

为此，家庭中所有成员在说话做事时都应有平和的态度。在对女儿说话时，要和颜悦色，让女儿感受到心情舒畅，不要经常厉声厉色地斥责孩子，以免孩子对妈妈望而生畏，心情长期处于不舒畅的紧张状态。这就要求妈妈尊重孩子的愿望，做事以理服人，要让她们自然产生积极的情绪。

第二，在家庭生活中，应该有孩子喜爱的玩具、图书以及娱乐活动。

第三，要经常引导孩子完成力所能及的任务，使其体验"成功"的欢乐。对于孩子来说，能够产生的愉悦情绪，莫过于完成任务的满足感和自豪感了。因此，作为妈妈，要让孩子在完成学习、劳动任务的过程中，或在游戏活动中体验到"成功"的愉快心情。

第四，孩子一旦有了不愉快的情绪，妈妈要设法尽快消除其不良情绪，恢复其愉快的心境。

总之，培养孩子乐观的心态时要做到身体力行，营造出一个乐观而温馨的家庭环境，让女儿快乐地学习、快乐地生活，教会孩子正确面对批评和挫折，帮助孩子克服羞怯和抑郁的悲观因素，多给予赏识与鼓励，多给予笑声与温暖，这样孩子就会逐渐形成乐观开朗的性格。在孩子的一生中，乐观具有许多意义：它是诱发孩子采取行动的强烈动机；它住进孩子内心，可以提供充满勇气、克服困难的神秘力量。妈妈要用自己的人格感染女儿，要赐给女儿希望和乐观，让她们能够积极地完成自己的理想。

要保护女孩的"公主"心

自尊是人活于世的根本，自尊才能自信，才能自强，尤其对于女孩来说，懂得自尊，方能自爱，也才能被人爱。而作为妈妈，无法给孩子天使的翅膀，但一定要给孩子"公主"的尊严并维护这种尊严，只有这样，才能培养出自信、善良、聪慧而非娇生溺爱的公主。

女孩如何才能成长为一个自信的公主？不仅要给孩子适宜的生活环境，让她接受良好人文气息的熏陶，开阔她的视野，增加她的阅世能力，大大增长她的见识，还要让孩子以健康的人格和心态去迎接未来的社会，从而让孩子有自尊心。而这种自尊心的培养，正需要妈妈给孩子尊严。

可是生活中，很多人认为富养女儿可以培养孩子的自尊自信，然而他们富养物质，穷养精神，认为只要给女孩最好的物质条件，她就会幸福。当孩子情绪不对或者陷入困境的时候，不是采取鼓励的措施，而是打压或者生硬地斥责；也有一些妈妈，总是希望自己的女儿能按照自己的意愿行事，结果导致孩子叛逆、自卑等。其实，这都是对孩子的不尊重，也伤害了一个"小公主"的尊严。要想让她成为一个真正骄傲、自信的公主，妈妈不能忘记，她是女孩，首先需要给足她尊严，她才会自信。那么，具体来说，妈妈不妨从以下这些方面入手：

第一，尊重"小公主"的个性。每个女孩都是与众不同的，如同我们不可能找到两朵相同的花儿。每个女孩都有不同的感受事物的方式、玩耍的方式、思维的方式、学习的方式、享受的方式，正是这些"个别的特性"使她成为你"独特"的女儿。

因此，妈妈要尊重女孩的个性，就应该对其内在品性的各个方面进行更为明确的理解，真正地了解你的公主，才能根据其个性打造其独特的人生，让她更自信地生活。

比如，有些妈妈对孩子的看法很绝对，非白即黑。她们要么是"表现不错的""成功的"，要么是"有问题的"和"不可救药的"。要想女孩始终充满骄傲、快乐和自信，必须视她们为多侧面、多色彩的、拥有多种正面人格特质和能力的人。

第二，尊重女孩的喜好和兴趣。正如上面所言，每个女孩都是不同的，因此好恶也是不同的，而这就需要妈妈了解她的好恶——她喜欢吃的东西和不吃的东西，她最喜欢的运动、课余消遣和活动，她喜欢的衣服，她的特长，她喜欢逛的场所以及最有效的学习方式。迎合孩子的喜好，才能让孩子接受妈妈的培养方式，也才能更自信。

第三，尊重孩子的观点，比如多和孩子交流，听听孩子的心声。

人们总认为，年幼的女孩比较"顺从听话"，她们喜欢讨人欢心，服从他人。但妈妈不应该过分依从女孩的这一特点，相反，应该着力强化她的个性和自我意识。当女孩进入青春期以后，她们在探求自己是谁之前，会从否定的角度——自己不是谁——来定位自己。这时，她们大多会拒绝接受妈妈的价值观。

"我妈妈非常专横。她不和别人讨论任何问题。她只是表明她的观点并说其他人都是愚昧无知的。她总是试图告诉我该思考什么，如何做每一件事。小时候不懂事，我以为妈妈是对的，可是长大后，她还是这样，到最后我只能对她的任何话都充耳不闻。"

这是一个12岁女孩的心声，或许这也是很多这个年纪的女孩的心声。做妈妈的很容易因为自己的身份和阅历而变得过于自信，并在毫无察觉的情况下作出一些宣告、决定和断言，压制了女孩寻求自身对事物独立看法的要求。实际上，妈妈的这种做法是要让女孩按照你的观点和价值观来生活，这种"统治方式"造成的结果无非有两种，女孩叛逆或者自卑、没主见、不自信。妈妈要明白，你越是将自己的观点和价值观强加于她，并自以为她会与你分享，她拒绝接受它们的可能性就越大，即便一个较小的孩子也是如此。

第四，尽量少批评、多赞扬你的"小公主"。

（1）在批评女孩的某一具体行为前，先想想她的优点，以帮助你对她持有积极乐观的态度，并让批评更加明确具体。

（2）不要使用"好"或"坏"来评价她的行为，因为她会将此视为你对她的印象。取而代之，你可以谈论你喜欢或者不喜欢她的哪些行为。

（3）在你表达不认可之时，以"刚才，我发现你……"的方式来开头。

以上这些方式都是妈妈应该学习的，女孩要富养，富养精神、性格和品质，悉心地呵护你的"公主"，用正确的方式引导她的行为，维护好她的尊严，才不会伤她的自尊，这也是让女孩维持自信的最佳方式！

妈妈要鼓励受伤的小丫头

自信是一种自我价值的认定，自信能让一个平凡的女孩光芒倍增，而没有自信则会让一个女孩黯淡无光。但实际上，在培养女孩的过程当中，很多妈妈的做法经常会在不经意间挫败女孩的自信心，让孩子的自信心越来越低下。当女孩满脸泪水的时候，妈妈没有用母爱包容孩子，而是在望女成凤的急切下开口斥责。

其实，妈妈要明白，女孩需要鼓励，只有细心地呵护，她才会以积极阳光的心态、自信的精神面貌对待生活中的任何事。有人说："家是能够培养孩子的自信心的地方，能够让孩子的自信心、孩子的自我价值感得到提高。但是往往相反，让她受到伤害、让她自信心低落、让她丧失自信心的地方，也经常是家庭。"所以，培养女孩的自信心，妈妈有很大的责任。

的确，教会女孩自己做事不容易，但有一个非常重要的原则是，孩子需要妈妈的鼓励，女孩的潜能应该在妈妈的鼓励和赞赏下，逐步被挖掘出来。

我们可能听过神童周婷婷的故事：

她是一个双耳全聋的女孩，6岁，婷婷就认识了2000多个汉字，她进了一所普通小学，跳了两级；8岁，婷婷能够背诵圆周率小数点后1000位，打破了当时的吉尼斯世界纪录；11岁，婷婷被评为全国十佳少先队员；16岁，婷婷成了中国第一位聋人少年大学生；17岁，婷婷被评为全国自强模范；21岁，婷婷被美国加劳德特大学录取为研究生——第一个中国聋人研究生。为此，她在人民大会堂7000人的表彰会上作了精彩的发言，引起了轰动。

周婷婷真是"神童"吗？所有人都在惊叹这个女孩创造的奇迹，当人们问及其父亲周弘，到底用了什么良方时，周弘说：他使用的一直是赞赏和鼓励。其实，婷婷的智商是105，远低于所谓天才儿童的130，但周弘告诉婷婷："智商只能测记忆力，无法测悟性、灵感，而你正是这方面的天才。"就这样，在父亲的鼓励下，婷婷一步步走上了成才之路。

的确，对于孩子来说，一句鼓励的话等于巨大的能量，等于成功的荣誉。女孩娇弱，但是并不是没有能力，永远要记住："成不成为"是一回事，而妈妈"相不相信"孩子有这样的能力又是另外一回事。

当妈妈相信孩子能力的时候，就会传达给孩子一种积极的信心，对孩子的期望会转化为孩子行为的动力，影响孩子将来的成就和发展方向。因此，妈妈在孩子面临困难时，一定要多鼓励鼓励那个满脸泪水的小丫头。

有位教育家说："其实所有的孩子生来就是天才，但我们却在他们生命最初的6年磨灭了他们的天资。"我们发现，很多聪明伶俐的女孩，在刚入学的时候就掉队了，而且以后再也赶不上"学习尖子"了，她们的潜能始终没有能够得到发挥，这正是因为经常被妈妈和老师所否定，自尊心受到伤害，个性长期被压抑。

因此，妈妈要给孩子能胜任的自信，告诉自己家里的小女孩："你能行！"

女孩哭泣，往往因为在日常生活小事中受到了挫折，比如，孩子今天自己整理了房间，但是因为没有整理好，心情很差，甚至眼角还会挂上委屈的泪水。作为妈妈，该如何鼓励她，让她重拾自信呢？

第一，说结果。

注意到了孩子整理房间的行为，即使孩子没做好，妈妈也可以说："我发现你今天已经整理了房间，现在房间焕然一新。做得真好，只是有些地方需要注意……"

第二，说原因（具体细节）。

告诉孩子："你不仅把床上的衣服都叠好了，还把书桌上的书都排列整齐了，真棒！"说得越具体，孩子下次越知道该怎么重复这个行为，也知道了自己哪些行为是受到称赞的，这样可以激励她重复出现这个行为，而孩子也就能接受自己的一些不完美的行为并主动改进。

第三，说内在人格特质。

妈妈可以告诉孩子："看得出来，你是个很负责任的人。"称赞的时候，妈妈要多谈人格特质，而批评时，就该谈行为，而避谈人格特质。

第四，说正面影响。

例如，妈妈在夸奖女儿时可以这么说："有你这样的女儿，爸妈觉得很高兴，你真是爸妈的贴心小棉袄，知道为妈妈分担了。"

其实，鼓励孩子从低落的情绪中走出来，是需要技巧的，大部分妈妈都习惯和孩子说："爸妈以你为荣。"其实，这句话的着眼点应针对人格特质，而非学习成绩或表现。当妈妈如实说："你这次数学考了满分，爸妈真以你为荣。"这时，孩子会有这种感觉：只有满分，爸妈才会"以她为荣"，那万一下次没考好，妈妈就不再感到骄傲，甚至还可能"以她为耻"。但是换一种说法，强调人格特质就对了："这次你考了满分，爸爸、妈妈发现你很努力，才有这么大的进步，这份努力，爸爸、妈妈很引以为荣。"如此一来，孩子就会知道，只要她努力，不论成绩如何，爸妈都会引以为傲。

教育子女是一大学问，而教育女孩，则更是一门精深的艺术。至今为止，尚未发现任何方式能够比关怀和赏识更能迅速刺激孩子的想象力、创造力和智慧，孩子都是在不断的鼓励中坚定自己做事的信心的。鼓励女孩走出负面情绪，让孩子体验胜任感，从而体验成功，是让女孩自信的重要方式。为了发现、发挥女儿的潜能，妈妈应该更加呵护她，鼓励她，让她认识到自己的潜能，从而创造精彩的人生。

告诉女孩，可以忍耐但不能怯懦

在传统教育中，忍耐和礼貌、尊老爱幼等内容都会共同作为一种美德教育传授给孩子。其实，即使在现今强调竞争的社会中，学会忍让仍然是一种美德，仍然是一个温婉大方的女孩的必备品质。重要的是，妈妈应如何智慧地教育和引导孩子，在谦逊知礼的同时，还应有自信心和竞争力，以适应今后的社会生存。

古人云："识时务者为俊杰。"审时度势是每个人生存、生活的必修技能。真正的强者能屈能伸，明白内外环境和因素对自己的影响，明白自己的境遇，能找到自己的立足点，从而忍耐并静心地等待，创造对自己有利的条件，

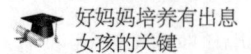

在最佳时机出击，并最终获取成功。

女孩是未来社会竞争中的成员之一，学会适当的忍耐能让女孩冷静地剖析对自己有利与不利的因素，并去争取和创造更多对自己有利的条件，为自己的腾飞"蓄势"。忍耐这种意志力，需要妈妈从小教育。但忍耐不是懦弱，懦弱是不自信、胆怯、丧志，甚至逃避；忍耐是暂时的，为的是能找到更好的"突破方向"。妈妈必须告诉女孩怯懦与忍耐的区别，让她适当地把握这中间的尺度，从而在未来社会竞争中伺机而动。

女孩生性柔弱，很容易步入怯懦的性格泥潭，妈妈要把女孩教育成未来社会的强者，避免怯弱性格的产生，就需要培养女孩足够的自信：当自己的权益被人侵占时，绝不会坐视不理，有着强烈的"维权意识"。相反，一个从小生活在阴郁家庭氛围中的女孩总是心怀恐惧，比如，有的妈妈经常用一些刺激性语言吓唬女孩，给孩子讲"鬼怪"故事，本来是想让孩子听话、老实，没想到却形成了孩子性格上的缺陷。还有的妈妈虽然意识到了吓唬孩子不对，却又走到了另一个极端。当孩子表现出胆小或正在害怕时，妈妈又表现出过分的关心和爱护，把孩子紧紧地搂在怀里千哄万哄，不离左右，为她忙前忙后，甚至把孩子平时最喜欢的食物、玩具一并送上，想借此打消她的胆怯心理。

那么，妈妈到底怎样让孩子明白懦弱和忍耐的区别，让孩子既能自信，又不飞扬跋扈呢？妈妈不妨做到以下几点：

第一，当孩子感到害怕、遇事退缩时，妈妈要多加鼓励。要明确孩子怕什么，针对孩子所怕的事物进行科学的解释和适当的安慰。妈妈平时也要有意识地从正面对女孩进行勇敢教育，可以给孩子讲一些青少年勇敢的故事，以激励孩子锻炼自己的胆量和意志。

比如，女孩不敢一个人去厨房或者厕所，妈妈可以训练她单独去干点儿什么，"去帮妈妈把厨房里的杯子拿来，我着急用"。一般懦弱的孩子在晚上天黑之后，听到让她去厨房，就会有些犹豫，如果只是说些"别怕，那儿什么都没有"之类的话，或者见孩子有些犹豫就干脆大声斥责"你怎么这么胆小"，这样只能加重孩子的害怕心理，让她觉得这件事更加棘手。女孩需要用温柔的方式去呵护，而不是强制，妈妈需要换一种说法，用平淡的语气对孩子说："我要蓝色的那个杯子"或者"请你帮我把两个杯子全拿来，我等着倒水呢"孩子的注意力就会转移到你让她干的事情上，"拿几个，什么颜色的"，而不会在意去哪儿，那个地方怎么样。当孩子回来后，妈妈应适当给予口头奖励和物质奖励，以增强她的自信心和荣誉感。尤其是当孩子主动表现出勇敢和其他正常的、胆大的行为时，妈妈更该及时鼓励，这样通过反复强化训练，女孩的胆小懦弱就会逐渐得到改善。

第二，当孩子的"权益"被"侵犯"时，妈妈要正确地引导，告诉她可以忍耐的限度。比如，当她被别的小朋友欺负时，要让她学会和别人理论，理论无效时，你不妨尝试让她自己处理，让她用孩子之间的方式解决问题，要有意识地忽视她这种不满的情绪。

第三，很多懦弱的女孩适应环境的能力比较弱，这可能和她的性格有关，这些孩子大多性情沉静、沉默寡言，虽然易形成勤勉、实事求是等优点，但也可能发展成消极、懦弱等倾向。在长辈的过分疼惜下，穿衣洗脸、剥鸡蛋等小事都被妈妈包揽，就剥夺了孩子社会化发展的机会，这是造成女孩性格懦弱的主要原因。放手让孩子成长，是解决这个问题的关键。

第四，在强化孩子的自信、克服她胆小懦弱的时候，不能操之过急，也不能采取压制的手段。有些妈妈"恨铁不成钢"，常常大声地斥责孩子，结果孩子受这种消极暗示的影响，更觉得自己不行，什么都不敢做，哪儿都不敢去，胆子会愈发变小。

妈妈应该多想些办法，在自然、宽松的环境中，使孩子的潜意识发生变化，由于这种变化是在无意识中进行的，孩子易于接受、且效果比较好。

克服女孩的懦弱心理，是让女孩骄傲、自信的根本目的，但同时，也要让女孩学会忍让。"海纳百川，有容乃大"，会忍耐的女孩才拥有大海般宽广的胸怀，这样的女孩才会在未来生活中用人格魅力感染别人，才不会为一件小事就发脾气、一言不合就起争执，这样的女孩才会获得成功、得到尊重，生活才会更美好！

第 02 章
以爱浇灌，使女孩成为美丽与智慧并存的公主

  妈妈是女孩生命蓝图的创造者和维护者，有教育家说："在人生这个小宇宙里，一切都是潜伏地存在着。你给他光明，他立刻就看见了。"为了女儿有一个光明的前途，妈妈首先必须给女儿一个光明的生长环境，这是由女孩的性格特质决定的。培养女孩的真谛就是要开阔她的眼界，增强她的阅世能力，从而大大增长她的见识。等她长到花一样的年龄时，就不易被各种浮世的繁华和虚荣所诱惑，从而失去自我。见识丰富的女孩最优雅！

妈妈给足精神财富，女孩更高贵

很多妈妈误解了富养女孩的真正含义，他们坚信培养典雅的女孩必须从小就让女儿过奢华的生活，弹钢琴、看画展、吃山珍海味、穿高档名牌衣服，让她像小公主一样长大，拥有优越的生活条件。我们不能否认让女孩拥有良好的成长环境的重要性，这种女孩在未来社会才不会为金钱、利益所诱惑，但是金钱充裕的"富"，很有可能会培养出一个骄纵、挑剔、禁不起任何打击、不能自立的柔弱女儿。而概念更为博大的"富"是精神上的"富"，只有精神世界的富有才真的会带给女孩一生的富足、一生的幸福。

老张两口是地道的北京人，老张是一名出租车司机，而妻子几年前就下岗了，与周围的人相比，他们的生活很拮据，因为他们的车是出租车，房子的面积小得可怜，一家三口住在里面总显得很拥挤。他们有一个上初中的女儿，他们相信女孩要富养，于是省吃俭用，将女儿送入郊区的一所寄宿制贵族中学读书。

老张经常告诫女儿：一定要努力学习，这样才能过上富裕的生活，否则就只能像他们夫妻这样过寒酸的生活。女儿深受妈妈的感染，认为贫穷是一件非常可耻的事情。

夫妻俩勤俭节约，虽然他们给孩子每月的零用钱已经不少了，但在出手大方的同学那里，这些钱还不够买他们生日互相赠送的一件小礼物。她的同学多出生于富豪之家，他们的妈妈要么是董事长、总经理，要么是处长、局长，女儿慢慢觉得自己生活在贫穷的阴影里。对妈妈，她也慢慢地失去了往昔的尊敬和体贴。

一个周末，老张照例开着自己的夏利出租车到郊区的学校接宝贝女儿。他害怕自己的寒酸带给女儿不快，就将车停得离那些各式各样的进口或者国产高级轿车远一点儿。女儿看到他，只说了一句话："下次别用这破夏利来接我了，我自己打车回家。你不嫌丢人，我还嫌丢人呢！"这句话如同一颗炸弹在他的心中炸开，他心中既酸楚又恼怒，他扬起长年握方向盘的手向女儿的脸上打了过去。好长时间，他才反应过来，可是女儿早已不知去向了。

这样的情节似乎并不少见，有人甚至把这当作"富养女孩"教育理念的过错，而实际上这种培养方法只能算作"穷养"。因为真正的富养女孩，并不是仅仅用物质和金钱来定位的，老张夫妇就犯了这样的错：

第一，他们给孩子的人格教育太过贫乏，正处在成长期的女孩，难免有这样那样的困惑，如果没有了精神上的培育，那么，她很容易对人生产生误解。

第二，富养的意义绝不是简单地把孩子送到与自家经济条件完全不相称的贵族学校，这样的方法怎能算作"富养"？

第三，把穷看作是一种耻辱，在物质财富面前，他们有着深深的自卑，他们的精神已经很贫穷，可他们又把这种意识在不自觉中灌输给了自己的女儿。

生活中，很多妈妈都对"富养女孩"有这样的误解，认为只要给女儿钱就可以了，其实大错特错，这样的做法只会使女儿的虚荣心逐渐膨胀，即使她拥有华贵的装扮，也是徒有其表而已，一旦涉及实质性的问题，这样的孩子最终还是会败下阵来。因此，物质绝不是"富养"的唯一内涵。

那么，我们很容易衍生出一个很重要的问题：没钱怎样培养好女孩？

对于女孩，既然提倡要富养，是不是一定要有"万金"之富，一定要有"公主"之贵作为基础呢？穷人的女儿是否与"公主""天使"无缘呢？换句话说，没钱就不能培养好女儿吗？这也是很多贫穷家庭质疑的问题。其实，没有钱并不可怕，可怕的是对自己的贫穷感到恐惧、感到耻辱，于是自卑情绪就出来了，在这样的环境，这样的心境下，又如何能培养出优秀的女儿呢？

著名儿童教育专家关一鸿倾心培养的两个女儿都很优秀，她认为，只要是孩子，就要培养他们勤劳、孝顺、包容的品质。她说，妈妈要提高女孩的综合素质，要培养她的责任感和包容心，以后，她才会是一名好女孩、好女人、好母亲。而对于家庭教育来说，"富养"要富在家庭环境上。

家庭环境主要是指物质环境和精神环境。无论是物质环境，还是精神环境，对孩子的行为习惯都有很大影响。对于成长中的孩子来说，良好的物质环境可以约束孩子的行为，良好的精神环境可以熏陶孩子的性格。

第一，从物质环境上来说。这里说的物质环境并不是要满足女孩的一切物质要求，而是说要在现有条件允许的情况下，尽量让女孩的生活环境干净、温馨、阳光，让女孩远离污秽，这对于女孩成长是必不可少的。

第二，从精神环境上来说。精神环境、心理环境也叫氛围，它对形成孩子良好的习惯作用就更大了。众所周知，一个后进生进入一个优秀班集体，受到良好班风的熏陶，就可能会很快地改掉身上的毛病。同样，优良的家庭氛围能使孩子形成优良的品格。

洋娃娃和漂亮的衣服，并不能让女孩子真正把自己当成是公主、是天使，真正能让她们心灵变得高贵的，是她童年初期和父亲母亲之间的有益关系，以及整个家庭的温馨和谐氛围。正是这些，使她渴望长大后成为一个典雅平和的女孩。

总而言之，"富养女孩"关键不在"钱"上，也就是说，"富"并不单单代表金钱的充裕、物质生活的绝对满足，它还意味着妈妈要赋予女孩自信、自强等强大的意志力量和美好的精神品质；妈妈要不断开阔女孩的眼界，丰富她的知识内涵；妈妈要赋予女孩理性思考的能力、判断的能力，让她的眼光更高远，从而不被未来社会短暂的金钱利益所诱惑……而这些，任何家庭都可以做得到！

精神富足的女孩，未来更出色

优秀女孩的培养不完全依赖于优越的生活环境，更需要温馨的生活氛围，对于女孩来说，性格的陶冶与培育比无节制地给予她金钱和溺爱要好得多。也就是说，妈妈要给孩子一个"富裕"的教育环境，要让光明、温暖、自信、乐观这些幸福的字眼占据女孩最初、最柔弱而单纯的心灵，而这些最终将变成女孩一生的信念和财富。

有位妈妈叹息道："我的女儿才6岁，刚上小学一年级，可是她却跟班上的很多同学说她爸爸是大老板，家里有几辆奔驰车。我自己真是没有办法，虽然我在家总跟她讲，其实，我们家也就是条件稍微好一些，不愁吃穿，将来还是必须好好学习靠自己，但是怎么说也没有用！"

恐怕有这样表现的女孩生活中比比皆是，这些女孩在妈妈的重金包装下成长：名车接送、出入豪华的场合、永远穿不完的新衣服，可是妈妈却忽视了女孩精神世界的培养。单纯、善良、不谙世事、没有经历风浪和磨炼的女孩，如何能坦然地面对未来沉重的现实生活呢？

其实，无论家境是否富有，适当地经历磨炼、经历苦难，对于女孩来说都是不可或缺的。只有经历过磨炼，女孩才能懂得生活的艰辛，懂得吃苦，懂得尊重他人，懂得孝敬妈妈，懂得取舍，学会感激，懂得满足，学会宽容，懂得爱也懂得放弃，懂得如何创造幸福的生活。培养她们独立、勇敢、自强不息的个性和完整的人格，同时要让她们树立竞争意识、拼搏意识、自强意识、风险意识。

而这种品质的培养，其实是一种教育投资、教育的富足。虽说貌由天生，但也需要后天的精心呵护、平日的精致雕琢，这显然需要一定的物质基础。从另一个角度来说，除了给予较好的物质条件外，更需要开阔女孩的眼界，增长女孩的见识。富也是"丰富"的意思。懂得美，懂得欣赏，懂得辨别，也就懂得了自我保护，而不会被外界的种种所诱惑，让女儿成为见识多、独立、有主见、明智的女孩。

那么，妈妈如何做到从物质到精神上的双重富养呢？

1. 要培养女孩的仪表仪容

女孩做到"坐有坐相，站有站相"，将来行为举止才会优雅得体。

2. 培养她的语言表达能力

不必让她达到主持人的标准，而是让她能够流畅地表达，最好能说一口流利的普通话，不可说出不雅的文字。如果可能，让她学习一门外语，重点是口语。

3. 学点儿才艺，陶冶情趣

比如，女孩可以学习芭蕾，为的是训练自己的形体，培养气质；学习一种乐器，感受音乐所带来的快乐……女孩应该多接触这些，不要求精益求精，但要有大致的了解。当然，学才艺一定要以孩子的兴趣为前提，妈妈的引导为辅助，绝不强迫，否则将会给孩子压力。

4. 要试着让孩子广泛阅读，培养阅读的兴趣

"腹有诗书气自华"，用知识武装自己的女孩，不仅会拥有一种知识的魅力，还会通过读书形成正确的观念，提高自己的思考能力、判断能力、处理问题的能力。更重要的是，阅读能拓宽孩子的知识面，开阔孩子的眼界。

5. 尽量让孩子见世面，增长见识

比如，带孩子去看各种有益的展览，开阔孩子的眼界。又如，带孩子去旅游，也可以增长许多的知识，让孩子知道外面的世界非常精彩，这样孩子就不会轻易地被眼前的利益所诱惑。多带孩子出去走走，还可以给孩子许多锻炼自己的机会。在这方面，妈妈也要相应地付出精力、财力，积极培养。

品质优秀的女孩更有出息

英国著名作家塞缪尔·斯迈尔斯在《品格的力量》里说："女性的素质决定着整个民族的素质。"的确，女孩的品质是否光明、温暖，小则关乎自己

的一生，大则关乎整个民族的命运。阳光典雅的女孩，能使自己周围产生安乐稳定的氛围；而自卑狭隘的女孩，则会使自己的周围蒙上晦暗飘摇的阴影。

女孩生来就不同于男孩，女孩没有男孩身上的那种阳刚之气，可以阻挡外界的伤害，女孩就像鲜花，在盛开之前，需要园丁更多的精心呵护；女孩是温柔的代名词，在竞争激烈的世界里，女孩如果没有一个安定的生长环境，便难以拥有柔和的心灵，女孩如果不被爱，也就不会理解爱的内涵，更无法去爱别人。

所有种种说明，女孩需要品质和人格的培养，需要爱的呵护，是品质的精心培育，绝对不是所谓的"娇生惯养"。

那么，妈妈该如何树立女孩的良好品质呢？

第一，要给女孩一个舒适的生长环境。

妈妈要记住：所有孩子的优秀品行都不是从天上掉下来的，而是在适应环境条件下培养出来的。女孩在出生之后，就要尽可能地为她营造一个安静祥和的成长环境，使她从小对生活充满无限的积极幻想，这样她们在长大成人之后，才能更有品位地生活。

小雨原本出生在一个富足的生意人家庭，父亲经营着一家规模相当大的公司，母亲是一位钢琴家，小雨从小酷爱钢琴。但小雨10岁那年，父亲因车祸去世，祸不单行，父亲留下的财产也被生意对手用奸计抢走，流落街头的母女被一个铁匠收留，为了让孩子有个家，小雨的母亲不得不嫁给了铁匠，可是铁匠的名声很差，生意也很差，没有经济保障。

母亲拼尽全力去抚养女儿，她希望能给小雨最好的教育，还送女儿去学习钢琴，可是继父总会出言讥讽她，说女孩学这些都是白花钱，没有任何意义。但因为母亲一直争取，所以也就勉强允许小雨去上课。

随着铁匠的牢骚越来越多，他的手艺也越来越不受欢迎，生活每况愈下，他也就更多地沉浸于酒海之中，每当他在外面受委屈，小雨和母亲就成了他的出气筒。后来，为满足自己喝酒的欲望，他断了女儿的抚养费，让年仅10

岁的小雨自己出去赚钱，母亲心疼孩子，就拼命在外面做苦工，好让小雨可以重回课堂。而小雨却变得越来越忧郁，她不愿意看到母亲受苦，自己也去帮亲戚做活儿赚点儿生活费。她受尽亲戚的嘲笑和侮辱，再加上实在看不惯养父的做派，小雨希望自己能变成一个男孩，这样就能承担起家庭的重担。后来，小雨喜欢上了打架，为维护自己的尊严，她选择使用拳头解决问题。有一次，铁匠酒后发火时，压抑许久的小雨拍着桌子大骂起继父来，她的这一举动让家人目瞪口呆……

实在无法想象，一个原本温柔孝顺，有着艺术细胞的女孩怎么会有如此过激的行为，她的生命蓝图已经脱离原来的轨道，而这一切发生的原因，可以归结为她的家庭环境。假如小雨还是当初那个不必为生活担忧的少女，或许她已经在艺术的道路上有所成就了。所以说，给女孩一个良好的成长环境是让女孩健康成长的关键。

第二，要培养女孩健康平和的心态。

对于女孩来说，最重要的莫过于健康平和的心态、贤惠温柔的性格、气定神闲的气质、睿智聪颖的形象。当女孩长大成人，妈妈最欣慰的莫过于她积极健康、乐观向上，同时又有主见、很明智。而这些都需要精心的培育。

第三，女孩的成长需要磨炼。

女孩要富养，也需磨炼。孩子不是金丝雀，不经过锤炼，不学会吃苦，以后就不能适应这个复杂多变的世界。遇到困难和磕磕碰碰的事情，要让女孩自己解决；遇到大问题，就教女孩如何处理。女孩应见多识广，眼界广阔。

第四，培养良好的品质和人格，是培养女孩的要旨。

只要是孩子就要培养他们勤劳、孝顺、包容的品质和自尊、自爱、自立、自强的人格。

没有人会否认，具有典雅气质的女孩最受欢迎，因此，把女孩培养成一个典雅的公主几乎是所有妈妈的共同梦想。女孩品行端正才能不贪小利，见多识广才能够拥有超人睿智，才能形成一种安然自若的形象，举手投足间优雅不凡，一颦一笑显淑女风范。只有着重在品质和人格以及心态等各个方面培养的女孩，才能在物欲横流的社会中泰然自若、雍容优雅。

妈妈教育女孩，要注意方式方法

鲜花需要园丁辛勤的栽培和细心的呵护，美玉需要工匠耐心的打磨，同样，优秀的女孩，需要妈妈的精心培育。那么如何培养女孩？妈妈的疼爱会让女孩更加自尊自爱。可以说，妈妈的疼爱就像是给孩子的预防针，要像对待公主一样疼爱她，即使条件再差，也要让她开心快乐，这样长大了她才懂得自尊自爱，才会明白作为女人的骄傲，才会分辨出真正想要的幸福，不会轻易被蝇头小利所诱惑，也不会那么容易被爱所伤。一个没有见过大世面的女孩，很可能禁不住物质的诱惑，被华美的花言巧语所击败，而导致一些无可挽回的错误。而见多识广的女孩，独立、有主见、明智，很清楚自己要的是什么，什么是真正值得自己追求的东西，便能够坚守自己的信仰而不被外界因素所左右，更不会轻易失去真我。

杨澜是我们熟悉的主持人，她三四岁时寄居在上海外婆家，舅舅经常带她出去吃西餐，去淮海路照相，看新潮的立体电影。外婆为此责备舅舅，说小孩子家家的，干吗为她乱花钱？舅舅说：女孩要见世面，才知道自尊自爱，不然将来一块蛋糕就能把她哄走。如今的杨澜优雅大气，气质淡定，魅力四射，举手投足间的韵味令无数人崇尚。

杨澜舅舅当时的举动，奠定了杨澜这一辈子的光芒。可以说，培养女孩优秀人格的主旨之一就是要她开阔眼界，增强阅世能力。见多识广，才更加懂得自尊自爱，不易被繁华所诱惑，不易被虚荣所俘获。而一个女孩，要让自己的美丽长盛不衰，必须懂得自尊自爱。

自尊是一种具有积极意义的品质，能够让人关注自己，尊重自己的感受。与自尊相反的是不懂得自爱，表现在孩子身上则是不能正确地认识和评价自己，同时缺乏自我保护的意识，这种心理对孩子的身心健康成长以及今后的生活、学习十分有害。

而自尊自爱是女孩心理发展中一个非常重要的问题，如何让孩子懂得自尊自爱、保护女孩的自尊心，是家庭教育中的一个重点。许多妈妈认为孩子小、不懂事，她们在这个年龄还没有自尊心、不懂得自爱，其实，这是一种错误的家庭教育观念。

那么，妈妈应该怎样让女孩从小自尊自爱呢？要知道，女孩的教育方式和男孩是不一样的，女孩需要妈妈的疼爱，以此为出发点，妈妈应该做到：

第一，从尊重女孩开始。

要让女孩学会自尊自爱，请先尊重你的孩子。很多妈妈喜欢把自己的女孩与别家的女孩作比较，比胖瘦高矮，比谁家的女孩吃得好，比谁家的女孩长得漂亮。有的妈妈喜欢在他人面前，对自己的女儿评头论足，更有甚者当着孩子的面，和别人抱怨女孩的缺点。这些行为都是孩子不喜欢的，也是不尊重孩子的一种表现。

第二，妈妈要认识到，即使女孩还小，也懂得自尊自爱。

有的妈妈认为女孩还小，哪里懂得自尊自爱。其实，她也懂得自尊，只不过不像成人那样抽象复杂。事实上，从3岁开始，女孩便有了自我概念，能够描述自己的身体特征、年龄、性别和喜欢的事情，如"我是女孩""我两岁半了"等。3~4岁时，女孩已能够评价自己，并能体验到自豪或羞愧，出现自尊的萌芽，如"我长得很漂亮""我能讲很多很多的故事"。

第三，让女孩学会保护自己。

妈妈可以简单地告诉女孩，尊重自己就是努力不让自己做出令人难堪的事，自己的事情自己做，做错了要敢于改正，和别人说好的事情就一定要做到，不能反悔。对于年龄尚小的孩子，日常生活中，妈妈应让女孩学会自我保护，如身体中的哪些部分属于隐秘部位，是不能让人碰的。在被人欺负时不要忍气吞声，要及时勇敢地说出来等。

妈妈要根据女孩本身所具有的特性，因势利导，要让女孩懂得美，懂得欣赏，懂得辨别，懂得自我保护。这是一种全面综合的经营，这样才可以把女孩打造成最美丽的女性！

培养女孩，绝不可使女孩落入庸俗

有出息的女孩，优雅、精致、有格调，因为眼界开阔，胸怀自然宽广，不会在大千世界中乱了方寸，也不会为贪图一点儿蝇头小利而犯下错误；有出息的女孩，有健康向上、积极正确的情感道德观，不依附别人，不在物质利诱面前失去真我，独立、明智、有主见、自尊自爱，坚守自己的爱情信仰，典雅而矜持；有出息的女孩，注重品德修养，关心时事，热爱艺术，对生活充满真诚，从不疏于对内心世界全方位的护理，让自己"腹有诗书气自华"，丰富、出色、文雅、内秀；有出息的女孩，清醒、平和、感恩，能够用慧眼看世界，用知识装点自己，用思想武装自己，懂得什么是优秀的，什么是卑劣的。总之，有出息的女孩不庸俗，可谓"红尘中的浮华不变其志，俗世里的纷争不近其身"。

那么，身为母亲，应该怎样培养出不庸俗的女儿呢？妈妈要明白，女孩有女孩的培养方法，只有充分认识到女孩特有的性格优势，以及其可能存在的性格弱点，并根据社会对女孩的需要来进行培育，才能培养出优秀的、优雅的女孩。具体来说，妈妈要做到以下几点：

第一，要让女孩自信，自信的女孩才会美丽。女孩是否具有优雅的气质，很大程度上取决于她是否拥有自信。一个自信的女孩，她的言行举止之间自然会透露着超乎常人的坚定、果敢等气质，而这恰恰是形成典雅气质的基础。在日常生活中，为了培养女孩的典雅气质、培养女孩的自信，妈妈可为自己的小公主培养这样两个对她们一生至关重要的习惯：

1.走路的时候抬头、挺胸、收腹

女孩是否高贵、是否自信，会很大程度地体现在她的形体展现方式上。

因此，妈妈一定要从小让孩子养成抬头挺胸走路的习惯，这是培养女孩高贵气质的一个最基本要求。

2. 说话的速度要适中，不要太快，也不要太慢

女孩的气质，很大程度上要通过语言展露出来。女孩说话太快，会给人聒噪、不安等不自信的感觉；说话太慢则会给人拖沓、无主见等柔弱的感觉；而适中的语速，恰恰是展现女孩最佳气质的最好方法。

第二，多种方法齐用，增长女孩的见识。提升女孩品位的最好方法，就是增长她的见识。增长见识的方法有很多，比如旅行、读书、学习一些才艺等。只有女孩掌握的知识增多了、判断能力增强了，她才不会被外界的种种喧嚣所迷惑。妈妈可以用以下的方法让孩子丰富见识：

（1）可以让女孩去旅行，在旅行中，她们增长了见识，同时也发现了某些更符合自己内心愿望的爱好，而且亲眼所见的比只在书上看过或者道听途说更有触动性。增长了见识的孩子会比没有见识的孩子胸怀更广，更有解决问题的能力。当孩子找到了自己的爱好，那她就有了内在的动力去追求自己的目标，而不是只依赖妈妈的鞭策，或者让妈妈代为决定。

（2）培养女孩的艺术情趣，比如，可以让女孩学舞蹈，当女孩随着音乐起舞的时候，她们的乐感、音准、韵律、节拍的敏感度和数学逻辑都得到了提高，大脑及身体协调能力也得到了锻炼。毕竟，在学历相似的情况下，女孩的谈吐和外在形象将在很大程度上决定差异和优势。因此，要让女孩在享受艺术美的同时，潜移默化地提升自身的素质，陶冶情操。

（3）让女孩从小多读书。书是人类进步的阶梯，女孩"腹有诗书气自华"，俗话说"读万卷书，行万里路"也是这个道理，读书可以让女孩见闻广博。

第三，妈妈要对孩子的一些兴趣进行积极的暗示，发现孩子的长处，然后着重培养。很多妈妈只看到女孩调皮的一面，为孩子的胡闹而头疼，因为怕麻烦而不给女孩锻炼的机会，却没有注意到其中女孩所展示出的才华，他们更没有意识到，女孩的才华就像宝石一样，如果不被发现，就失去了闪亮的机

会，在无形之中扼杀了女孩的艺术创造力。

妈妈要明白，让一个女孩优雅的资本是内涵，而并非美丽的外表。女孩生来就是要装扮这个世界的，可是容貌绝不是女孩的全部，没有内涵的积淀，女孩的美貌最终会流于世俗，并成为阻碍其前进的障碍。妈妈要看到女孩的爱美之心，不可极端地遏制孩子对美的幻想，但是要引导孩子走向更深邃的内涵美的境界。要想培养女孩的典雅气质，就需要妈妈多用心、多引导、多付出，一方面要给女孩多看、多做、多练的机会，另一方面也不能违背女孩的意愿，主观决定女孩的"一技之长"，无谓的压力一定不是成才的最佳方案。

要从小培养女孩善良的本质和爱心

爱心，是热情开朗的性格和对人、对物、对事的一贯关心的态度。爱心，就是能觉察和体验别人的心情，能站在别人的位置与角度，感受别人的欢乐、痛苦、烦恼、失望之心。

女孩天生是富有爱心的天使，天赋的温柔善感使女孩更具有母性的气息，同时也丰富了女孩的内心世界，这也是女性魅力的一个重要特征。有爱心是一种美好的品质。因此，妈妈要维护女孩纯洁的爱心，那是使一个人任何时候面对任何人都能堂堂正正的根本，也是让女孩永远纯真的坐标。

"自私自利""自我中心"是爱心的大敌，但我们知道，它不是女孩与生俱来的，不是孩子的天性。古人说："人之初，性本善"，其实，并不是女孩生来就缺少爱心，而是由于妈妈对孩子的溺爱、不注意教育方式等，把女孩的爱心在不经意间给剥夺了，让有爱心的天使变得自私。所以，为了不让孩子的爱心枯竭、泯灭，母亲不仅要爱孩子，更重要的是让孩子学会爱。

"溺爱是妈妈与孩子关系上最可悲的事，用这种爱培养出来的儿童不肯把心灵献一点儿给别人。"如何培养女孩的爱心，在家庭教育中也就显得尤其重要了。妈妈可以从以下一些方面，尝试着让孩子拥有爱心：

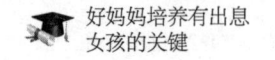

第一，当孩子的榜样，妈妈也要富有爱心。

妈妈是孩子的镜子，孩子是妈妈的影子。只有富有爱心的妈妈，才能培养出富有爱心的孩子。孩子时时刻刻把妈妈作为自己的榜样，妈妈的一言一行都在潜移默化地影响着孩子，身教重于言教就是这个道理。因此，妈妈平时就要注意自己的言行举止，做到孝敬老人、关心孩子、关爱他人、乐于助人等，让孩子觉得妈妈是富有爱心的人，自己也要做一个富有爱心的人。这些既能强化孩子爱的意识，又能以充满爱心的表率行为导之以行，使孩子产生一种积极的仿效心理。

第二，给孩子创造实施爱心行动的机会。

妈妈可以引导孩子主动帮助左邻右舍干些力所能及的事；或在妈妈生日时，暗示孩子主动表达对家人的爱。而当孩子付出行动后，妈妈要以微笑的表情、赞扬的语气及时地给予表扬，能激起孩子产生一种关爱他人后愉快的心理体验，并会产生不断进取的强烈愿望，逐步形成把关爱他人当作乐趣的相对稳定的健康心理。

第三，教孩子学会移情。

所谓移情能力是指能设身处地地为他人着想、感受他人情感的能力。比如，当看到别人生病疼痛时，要让孩子结合自己的疼痛经验感受并体谅他人的痛苦，从而为他人提供力所能及的物质或精神上的帮助。

第四，多与女儿进行闲谈式的情感交流。

一定要避免女孩养成任性自私的性格，孩子如果"我"字当头，她的自我情感体验意识就会特别强。在这种情况下，即使是情绪化的说理教育也会令她反感，进而产生抵触情绪，因此强调闲谈式，即妈妈尽可能地创造或利用与孩子相处的机会，不失时机地与孩子进行闲谈，可将实质上的有意识淡化在形式上的自然随意上。而且，妈妈可以谈些孩子感兴趣的事情，缩短彼此的距离，并适时地抓住孩子谈话中某些可以"抒发情感"的内容，真诚地道出自己的心理感受，给孩子创造了解情感世界的机会，让其产生出对妈妈的亲近感和朋友式的信任感，而建立在这种关系下的说服教育也易于被孩子接受，作为回报，她也会在日常活动中表现出理解、合作的精神。

第五，创造一个温馨愉快的家庭氛围。

妈妈是孩子的第一任老师，家庭是孩子的第一所学校，因此，妈妈有责任为孩子创设一个益于身心健康发展的和谐、幸福的家庭环境，使孩子在良好的环境熏陶下，学会做人。

第六，培养爱心，还要学会关心他人。

除了要鼓励孩子"自己的事自己做，不给别人添麻烦"外，在日常生活中，妈妈还要引导孩子学会以帮助他人为乐，以会劳动、能负责为荣。爱心应当是不图回报、不计代价的。

因此，妈妈要培养女孩的爱心，要落实在平时的点滴行动中，引导孩子观察他人的表情，理解别人苦恼、悲伤的缘由，努力想出办法来减轻别人的痛苦、烦恼，使身边的人感受到快乐。

自信的女孩拥有别样的优雅气质

我们不得不承认，女孩在某些方面有着先天的优势，女孩具有语言天赋，女孩天生就比男孩细腻柔和，总之，女孩是优雅的。但在现实生活中，男孩子大多争强好胜、自信心强，因此，他们的才智特长更容易得到发挥。而女孩大多依赖性强、较为自卑、自信心差，因而她们的才智特长往往容易被埋没，或得不到充分发挥。缺乏自信的原因是多种多样的，但主要还是教育和环境影响的结果。因此，妈妈要特别注意从小培养女孩的自信心。

有人说："没有一个优越的家庭做后盾，天赋再好的孩子也只能眼巴巴地做灰姑娘。"这句话有一定的道理，优渥的环境可以使女孩形成一种安然自若的形象，举手投足间尽显优雅气质和淑女风范。

然而，女孩只有优雅是不够的，还需要自信，这一点更需要妈妈的悉心培养。要在重新考量社会对女孩特殊要求的基础上，根据女孩自身的特性，重新定义教育方法。

妈妈要让女孩优雅和自信兼备，就必须让女孩有平和的成长环境，因为女孩是敏锐的，她总是能够发现使生活变得更丰富的诀窍，但是首先，她要能够感受到温馨、安宁。因此，作为妈妈，一定要开阔孩子的眼界，点燃女儿寻找生活乐趣的欲望。

那么，妈妈应该怎样培养一个自信的女孩呢？

第一，妈妈要从思想上打破传统的影响。

人们通常认为女孩娇气，比较怕困难，因此，把女孩照顾得更加细致入微。特别是现在，家里大多是独生子女，更是怕跌了，怕碰了，怕让女孩单独活动，女孩生活中稍有困难，妈妈就立刻伸出援手，减少了女孩在实践中增长才干的机会，从而也不能使她从实践中增强自信心。男孩女孩，特别是幼年时期，无论在智力上、能力上、性格上都没有什么差别或是差别极小，因此要给他们同样的锻炼机会。要特别注意，谈吐间不要让孩子感到"女孩就是不如男孩"，而要使她认为"女孩不比男孩差"，因为心理因素是极为重要的。

第二，妈妈要根据女孩的兴趣、能力、性格特点，给她创造适宜的活动条件，鼓励她在活动中取得成绩。

如孩子绘画作品被选到幼儿园展览，或是参加游艺会的表演，自己跨过了小沟时，她们就会获得成功的喜悦，从而激发自信心。当孩子遇到困难时，妈妈要鼓励她自己想办法克服，同时给予适当的帮助，使她不至于在失败面前丧失信心，要善于发现和肯定她的点滴进步。

有些女孩对色彩比较敏感，她们很早就可以握住画笔，按自己的意图画出喜欢的动物、花、草和小房子；有些女孩对针线、彩色线绳情有独钟，看到妈妈织毛衣、做针线活儿，她们也会找些碎布织织缝缝；有些女孩天生有一双美丽、细长的小手，特别适合弹钢琴；有些女孩对书法感兴趣，挥毫泼墨，像模像样。对于这些，妈妈都要给予鼓励，这对于培养孩子的自信心是很重要的，她们能从这些小事中获得自我肯定，而这或许就是开启孩子特长的开端。

第三，减少批评，特别是有关她长相和能力方面的批评。妈妈要善于用正面的肯定、鼓励和诱导，启发女孩积极向上的性格。

在朋友的眼中，小宇是一个特别自信的女孩。每当有人问起"你为什么这么自信"时，小宇都要讲起小时候的故事。从小到大，妈妈都特别宠爱她，他们永远觉得自己的女儿是个很优秀的女孩：小宇嫌自己个子高，妈妈说正好可以做模特；小宇一当众说话就脸红，妈妈说害羞是一种美德；小宇学习画画，却画得乱七八糟，妈妈满不在乎地笑笑说："可你的歌唱得特别棒啊，每个人都有长处。画画你再练练，如果不行，就不画了。"小宇想当记者，妈妈的第一反应就是："以后准备去央视，还是凤凰卫视？"小宇已经在一家知名的文化单位找到了满意的工作，她始终是个特别自信、特别阳光、性格开朗、人缘好的女孩。

总之，优雅自信的女孩才会有出息，而妈妈要理解优雅的真正含义，注意培养的方式，让孩子内外兼修，这样的女孩以后才会更美丽、更自信！

第 03 章
不宠不娇，妈妈要培养出一个没有公主病的公主

女孩要沉稳自信，这是妈妈们应该一直秉承的教育观念，并在能力范围内给她较好的物质生活，从小让孩子有当公主的感觉，这样，女孩才会自信，才能更有出息。但妈妈更要注重女孩精神上的富裕，因为女孩只有经历磨炼和苦难，才能适应这个纷繁复杂、千变万化的世界。妈妈千万不要只给孩子提供最好的物质条件，而忽视了教养。要知道，关爱并不等于溺爱，对于女孩来说，性格的陶冶与培育比给她金钱和溺爱要好得多！

女孩爱美，但也不能过度注重穿着打扮

爱美是女孩的天性，妈妈要让女孩学会在穿着打扮上体现自己的审美，这有利于女孩气质和修养的培养。但妈妈要明白，女孩的美丽不仅体现在外表，更体现在自己的内心。追求美是人的本能，但妈妈要让女孩意识到心灵美的重要性，让孩子外表得体大方的同时，也要培养女孩的内心，使孩子的美能够由内而外地自然呈现出来，逐渐成长为一个有出息的人。

张妈妈这样谈到自己的女儿："我女儿是高一学生，她从小就长得乖巧，喜欢穿漂亮的衣服。上了高中以后，女儿对穿着打扮就更讲究、更用心了。看到时尚杂志，总要买回来爱不释手地看，对服装款式、用料、颜色评论起来头头是道，看到哪个女同学穿的衣服时髦，就嚷着要买。上学前，她总要拿出几件衣服对着镜子比试一番后，才决定穿哪件。我批评她不务正业，而她居然说我是老古董。"

张妈妈的话值得深思。在女儿这个年龄段，如果思想意识出现了偏差，对孩子的成长是极为不利的，但她对女儿的教育方式也是不正确的。女孩在这个年龄开始打扮是正常现象，妈妈不能说她不务正业，应该正面引导，比如，妈妈可以提出和她一起讨论一下穿着打扮方面的问题，找出妈妈与女儿可以共同接受的程度。

其实，生活中爱打扮的女孩越来越多，成长期的女孩爱美很正常，但妈妈要正确引导，不要让女孩过分地爱打扮。那么，妈妈应该怎样引导孩子正确

对待穿衣打扮呢？

第一，让女孩体验生活的艰辛。女孩也需要一些吃苦教育，这是为了"富精神"，因为没有切身体会过贫穷、饥饿、艰辛、灾难，她们不知道生活的不容易。因此，妈妈要让女孩参加真正意义上的社会实践，而不能因为怕孩子吃苦，就一味地讲大道理，只给孩子形式上的"实践"。

第二，让孩子明白什么是真正的审美。这需要妈妈的正确引导，培养孩子正确的审美观，告诉孩子什么是真正的美。比如，可以让孩子学习美术，美术对于学习色彩搭配是很有帮助的。而最重要的是让孩子明白，她所在年龄段的女孩应该穿什么才是合适的。

第三，告诉女孩快乐的源泉不是物质，而是精神。很多女孩因为妈妈的娇惯，只有在购买漂亮的衣服时才是开心的。让孩子了解真正的快乐源泉，有助于培养孩子的幸福感，妈妈应告诉她，简单就是快乐。

圆圆家很贫穷，妈妈是残疾人，她只能靠学校减免学费的政策才能上学，可是，爸爸妈妈很疼爱她，她很小就明白了什么是快乐。爸爸妈妈会教她如何进行废物利用，比如，用电视机的纸箱给她造了一间属于她自己的小屋，用牛奶盒做玩具，用可乐罐做沙锤等，这些她都很喜欢。爸爸妈妈从不随便给她买玩具，更别说和别的女孩一样买漂亮的衣服了。"如果我们认为可以自己动手做的，就会带着她一起动手。其实，在制作过程中孩子所获得的乐趣是远远大于买新衣服的。"爸爸这样说道。"所以，她现在有时在商店里看到什么衣服，也不随便要求爸妈给她买。"

圆圆爸爸妈妈的这种教育方式，能够让孩子认识到什么是真正的快乐，爱她但并不溺爱她，孩子在简单的动手过程中收获了快乐，自然就不会把注意力放在穿衣打扮上了。

第四，妈妈也要注意对孩子的效仿加以引导，尤其是妈妈。无论是小女孩，还是少女，在打扮上都喜欢模仿。很多妈妈说"从来不在她面前化妆"，可她自然也会"偷偷地涂口红"。其实，在这种情况下，你不如就当着她的面化妆，但要化得淡一些。同时，你的生活要充实一些，让她觉得你除了爱美之外还会做许多其他事情。你可以明确地告诉她，化妆品对皮肤有一定的伤害，小孩子不可以用。不过，孩子偶尔涂两次口红，妈妈不必太紧张。这只不过是孩子好奇和爱美的一种表现。经过一段时间提醒后，她的兴趣会渐渐淡化。

第五，让孩子在充实的学习中淡化这种虚荣心。很多调查表明，爱打扮的女孩一般学习成绩不怎么好，这就告诉妈妈，充实孩子的内心世界，才是改善她过分爱打扮的根本方法。

女儿是妈妈的贴心公主，一定要细心呵护，但不能娇纵她，宠爱并不等于娇惯，一个踏实的孩子才不会被那些服装、首饰等物质所迷惑。

妈妈带女孩吃点儿苦，让女孩受益一生

身为妈妈，一定希望自己的女儿无论在什么环境下都是强者，不娇气、不软弱。但是，没有经历风浪的磨炼、不谙世事的女孩又将如何顺利地从妈妈的呵护过渡到未来生活的现实？在成长的过程中，物质上的充足是绝对不够的，女孩也要吃点儿苦，这种教育方式才会给孩子带来受益一生的财富。

从前，一个公主迷路了，走进一个邻国的城堡。邻国的皇宫里没人相信她是公主，为了验证她到底是不是一个真正的公主，在为她铺床时，皇太后在7层厚厚的床垫子下面放了一粒豌豆。第二天早上起来，公主抱怨说："是什么东西硌得我整整一夜都没睡好，浑身都痛死了。"于是，所有的人都肯定，面前的这个女孩是一个真正的公主。

这就是豌豆公主的故事，但女孩不能做豌豆公主，不应养成意志薄弱、不能吃苦、习惯于享受的行为方式，这会直接影响女孩今后的学习、同伴交往和社会适应能力，影响孩子一生的幸福。

有人说："错爱比不爱更可怕，温室的花朵难经风雨；疼爱，但不要溺

爱；依赖会误导女孩的一生，爱得越小心，女孩越脆弱。"现代家庭的重心逐渐向孩子转移，尤其是女孩，她们在家里拥有特殊地位，使她们成为家里的"小公主"。但这同时也造成女孩身心日趋脆弱，常表现出怯懦、孤僻、任性、自私等行为。很多妈妈认为，只要女儿学习好，怎么样都行，这其实是一种误区，"人格教育是根本，智力训练只是一种装饰"。良好的品格及习惯可以让人受益终生，相反，改正一个坏习惯则需要长久的努力。要知道，做妈妈的能给予孩子的最好教育是使其形成优秀的人品，而不是娇气、懦弱、高分低能。

那么，妈妈怎样对生性娇弱的女儿进行吃苦教育呢？

第一，可以适当地让孩子尝一点儿"饥饿"。相当多的女孩有偏食、挑食的习惯，而且食欲较差。究其原因，是她们从小都不曾体验过挨饿的滋味。妈妈宁愿自己节衣缩食，也要让孩子吃好的、高级的。不少孩子零食不离口，哪里还有胃口来享受一日三餐？俗话说："若要小儿安，常带三分饥与寒。"但大多数妈妈并不忍心"饿"孩子。当然，这里的"饿"，并不是说要真的让孩子忍受饥饿，而是让孩子知道珍惜和节约粮食，懂得珍惜来之不易的生活。

第二，让女孩"劳累"一点儿。现代家庭中的小公主几乎很少体会过劳累之苦。她们"饭来张口，衣来伸手"，上学和放学回家有妈妈接送，不知道什么是苦，什么叫累，缺乏应有的锻炼，使身体健康发育大受影响，抵抗疾病的机能很低，往往会变得脆弱，缺乏生活常识。

第三，有意为女儿设置一些困难。每个人都会遇到困难与挫折，成长中的女孩，也难免会遇到坎坷和阻碍。如果孩子走惯了平坦路，听惯了顺耳话，做惯了顺心事，那么，一旦他们遇到困难，就会不习惯，甚至会束手无策，这样往往容易导致失败。

女孩的生活一帆风顺，这会导致她们意志薄弱。妈妈过分地关照和代劳，会使孩子缺少实践和锻炼自身能力的机会。任何成功的取得都需要与困难较量，女孩迟早有一天也要独立面对生活，所以，妈妈不妨在平时的生活和学习中，有意识地设置一些困难和障碍，以此来培养孩子的耐挫能力。

第四，没有规矩，不成方圆，适当的批评和管束也是必需的。女孩天生是规矩的，但在成长过程中也需要纪律的约束和适当的批评来矫正。所谓"木受绳则直，金就砺则利""没有规矩，不成方圆"。女儿做错了事，妈妈就要毫不含糊地批评，而且应该适当严厉。受到约束或批评，孩子当然不会感到愉快。但久而久之，她们却能明辨是非，知道什么能做，什么不能做，这对于孩子心理的健康发展极为有利。

总之，妈妈应该明白，逆境造人，应该让孩子适当吃点儿苦头，人在艰苦的环境中，战胜的不是环境，而是自己，这将会有助于孩子身心的健康发展。但妈妈要注意的是，这里的吃苦，并不是形式上的，不是一本正经地对孩子说："今天，我就要让你尝尝吃苦的味道。"这种浮于表面的吃苦教育是没有意义的。正确的做法是要在日常生活中，在孩子不知情的情况下进行。当然，吃苦教育应循序渐进，应该是孩子努努力就可以承受的。对于妈妈来说，一方面不能表现出心疼和不高兴，另一方面也不能后悔自己的行为。

另外，妈妈应该注意的是，由于体质和心理素质相对于男孩较弱，女孩在遇到困难与障碍时，感到委屈是难免的，产生一些不良的情绪反应也是很正常的事情，妈妈应该有这种心理准备。在孩子受挫后，对一般的情绪反应，妈妈可以让孩子自己去体验，然后鼓励孩子振作起来；如果孩子情绪反应过度，妈妈则要给予温情的鼓励以及必要的心理上的支持，让孩子及时摆脱失望、伤心等不良情绪反应，及时地树立信心。

妈妈在生活中要通过有意识的引导、教育和磨炼，把让孩子吃苦融入日常生活中。对孩子不要太溺爱，让她吃点儿苦，受点儿折腾；无论在生活上还是学习上，给孩子安排一定的自理任务，孩子能做的，妈妈绝不要包办代替，这能使孩子逐渐学会如何面对困难、面对危险，这样的女孩才会坚强！

引导女孩养成勤俭节约的生活习惯

我们不难发现，女孩一般比男孩更懂得节俭，更懂得积累财富。也就

第03章
不宠不娇，妈妈要培养出一个没有公主病的公主

是，从某种意义上说，女孩的节俭是一种性格优势，但实际上，生活中很多女孩不懂得节俭，乱花钱、随便浪费的现象相当严重。有一所小学，捡拾的物品堆满了一间屋子，大至衣服，小至铅笔、橡皮。学校多次广播，要求孩子们去认领，却没有人去。一次家长会上，校领导讲了这件事，说再不认领就处理给废品收购站了，也只有几个妈妈带着孩子去认领。而这些废弃的东西中，很多都是女孩的，这一情况不能不引起我们深思：是什么导致了这种现象呢？

生活中，妈妈因为疼爱"独苗苗"，迁就女儿花钱自不必说，就连妈妈自身也往往产生了不合理消费的习惯——攀比、从众、追时髦、喜新厌旧等。时代变了，人们的消费观念确实应该改变。随着经济收入的增加，人们吃饭更讲营养，穿得更美，自然无可非议，而且应该提倡；但盲目花钱、随便浪费永远是坏事情，是不良品质的反映。因此，孩子不懂得节俭，不能只怪孩子，大人也有责任。

勤俭节约是一种美德，也是为女孩未来生活打下良好习惯的基础。那么，妈妈到底应该怎样引导女孩懂得节俭，不做个奢侈的小公主呢？为了培养孩子节俭的品质，妈妈不妨从以下几个方面入手：

第一，教育女孩正确认识钱。要让孩子从小懂得钱是什么，钱是怎么来的，怎样正确对待钱财，不义之财绝不可取。当女孩年龄还小时，要从观念上教导，并联系实际生活给孩子讲解，多引用一些事例。年龄大的女孩，可以利用空闲时间跟她专门讨论钱的问题。

第二，教孩子学会花钱。女孩的消费行为应该在妈妈的监督下进行。孩子的消费行为是由被动逐步走向主动的，当女孩还小时，妈妈就应该让她学会做家里的小帮手，妈妈可以教孩子买东西，如何用钱、如何选择物有所值的物品，要让孩子学会先认真思考再花钱，并逐渐养成习惯，避免盲目消费。

第三，教孩子学会积累。很多女孩都有储蓄罐，妈妈应该鼓励你的小公主设立"私人小金库"，孩子手里的零用钱、压岁钱都可以存起来，教会孩子在存钱、用钱的过程中，培养节俭的好品质。

第四，教育孩子懂得量入为出。要让孩子明白，花钱必须有经济来源。

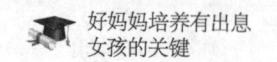

每个家庭的经济情况不同，花钱要看支付能力。即使家里很有钱，也不能无条件地满足女孩的一切要求。

第五，教育孩子珍惜物品，不浪费。让孩子懂得所吃、所穿、所用来之不易，都是人们用汗水和心血创造出来的，随意浪费是不珍惜劳动果实、不尊重劳动的表现。可以让孩子经常参加劳动，体会劳动的艰辛。

第六，妈妈应该以身作则，树立正确的消费观。我们不难发现，女孩是具有积累意识的，但又是感性的，她们的很多消费习惯是从妈妈那里模仿来的。培养孩子节俭的品质，首先应该从妈妈做起。妈妈从认识到行为，都应给孩子作出榜样。

新的时代，应该建立科学的消费观念，以下3条是妈妈应遵守的重要的消费标准：

（1）是否高效益地使用金钱、财物，合理消费，用所当用。

（2）是否有利于孩子的发展——形成良好的品质素质、身体素质、心理素质、文化素质。

（3）是否杜绝了奢侈浪费、享乐主义。

我们不应该忘记中国的古训：成由勤俭，败由奢。节俭的美德是传家宝，在孩子身上应得到继承和发扬。成功由勤劳节俭开始，失败是奢侈浪费所致，即使到了很富裕、很有钱的时候，这个朴素的真理也不会过时。节俭是一个人的重要品质，很难想象，一个从小花钱大手大脚、奢侈、浪费、攀比虚荣的女人能干出一番事业，建设好家庭，成为一个好母亲。

尽早独立，让女孩更出色

当今社会，女孩也必须有独立面对生活和竞争的能力，因此，要培养女孩的独立自主精神，不能依赖任何人，包括自己的妈妈。无论是风吹还是浪打，妈妈都不可能替女孩去承担。那些不能独立的女孩就成了"浮萍"，在风吹浪打中飘摇，顺水而流，随风而逝。妈妈要想让女孩有自己的世界，有独立的操作能力，在将来的生活中不依赖任何人，就必须让女孩学会独立。

很多女孩在妈妈周全的保护下失去了独立的能力，很多幼年的女孩甚至是女大学生，虽然学习成绩不错，但往往独立生活能力差，缺乏自立意识，依赖性强，做事被动、胆怯；缺乏适应环境和应变的能力，不懂得恰当交往的技巧，人际关系差；怕苦怕累，只要求别人照顾，却缺乏同情心和帮助别人的能力；在家不知关心自己的长辈，在外缺乏社会责任感。

曾有一位母亲谈到她念大学的女儿时伤心地说："我女儿学习很好，但什么也不会干，一有点儿小病，就催我们带她到大医院去看医生，嫌校医院水平低而不去那里就医。"她接着自责地说，"这不能怪别人，都怪我们从小把她惯坏了。"的确，一个好女孩本是母亲的贴心小棉袄，一个好女孩应该是坚强、勇敢、独立的孩子，但妈妈的娇惯使她成了一个无独立行为能力的人。

这样的女孩并不少见，生活中，很多三四岁的女孩不能自己穿衣吃饭，五六岁的女孩不能自己扣扣子和系鞋带。生活在城市的女孩多由妈妈接送还不算，有的连书包都由妈妈替背；大学入学，很多女孩由妈妈"护送"，甚至连床铺都由妈妈给铺好。而这种教育方式，已经脱离了培养女孩的本意，娇惯孩子、过度保护孩子，只会让女孩缺少必备的生活技能，而不是一个优雅、坚强的公主。

当今社会，女孩渴求和男孩一样独立，这是时代的要求，而妈妈的教育是孩子独立的资本，妈妈必须克服以下不妥的教育方式：

第一，避免社交上的"过度保护"。女孩柔弱的性格使之需要保护，但很多妈妈却保护过度，不少妈妈怕孩子吃亏或学坏而限制孩子与外界接触，一旦孩子与小朋友或同学间发生争执或不愉快的事情，多数妈妈会第一时间袒护自己孩子而指责对方，由此常常发展成妈妈间的争端或摩擦，但对孩子产生的却是负面作用。

其实，女孩需要保护，但也要有自己独立的空间，正如意大利教育家蒙台梭利的"精神胚胎"学说认为：胎儿在母体中形成的那一瞬间，就有一种内在的东西，这种东西将在儿童一出生就指导儿童如何发展，指导儿童去抓什么，去摸什么……这种东西就是"精神胚胎"。这种学说听起来或许有些先验论的神秘色彩，但它却科学地指出了孩子成长的特征。做妈妈的常常以自己的思维模式、想当然的育儿模式，去规范孩子的行为，以为这样做就是对孩子负责，就是爱孩子，其实这种爱，往往会误导孩子走向一条相反的路。

第二，避免生活上的"包办代替"。很多女孩的妈妈，在生活上处处包揽女孩衣、食、住、行，怕孩子脏着、累着而不让她们做一点儿家务劳动。总之，这种"包办代替"在横向涉及孩子生活的方方面面，在纵向一直延伸到孩子成人。但妈妈要意识到，你的女儿将来也要身为人母，也需要照顾一个家庭，一个连洗衣、做饭都不会的女人如何能负起一个妻子、一个母亲的责任？

第三，避免经济上的放任。很多妈妈对孩子的经济要求百依百顺，有求必应。且不说经济宽裕的家庭，就连经济拮据的家庭，妈妈也要勒紧腰带，甚至东挪西借来满足"小公主"的各种要求和欲望，以适应互相攀比的消费风气。对她的零用钱普遍表现"大方"，随要随给。孩子上街即使是一两站公交的距离也要打出租车，甚至很多中小学女生每天上下学都要打车，花钱雇人值日、做作业，更有个别家庭经济条件好的女孩考试时花钱雇人替答卷。这纯粹是由妈妈的溺爱、娇惯，特别是经济上的放任造成的。

妈妈要明白，女孩终将成为社会的一分子，你也不能一辈子保护你的"公主"，她需要富养，但不能过度保护和纵容，你不妨放手，让孩子自己独立。因为孩子也是独立的个体，也有自己的观念和判断。也许她们的生活经验还不足，在生活中会犯一些错误，但孩子犯错误是可以理解，也是必要的。孩子在成长的过程中需要吸取教训，积累经验。如果不给孩子自由发展的空间，孩子没有足够的实践，那么将来需要自主选择时，就很可能会束手无策，也就无法真正独立起来。

女孩需要悉心呵护，但不可娇惯纵容

很多妈妈总是会尽量满足女孩的各种要求，不惜一切代价给孩子买名牌衣服，对孩子提出的任何要求都无条件满足，对孩子的事包办代替，对孩子的坏毛病视而不见等，这些做法都是错误的，因为这种教育下的女孩会变得任性自私、唯我独尊、缺乏良好的行为习惯和道德品质，一味地娇惯孩子，对孩子的成长是极为有害的。

的确，在物质生活日益丰富的今天，很多妈妈都会悉心呵护女孩，总是倾其所有给孩子最好的，但如果呵护过当，则会变成娇惯，对孩子的成长反而有害。但从另一个角度来说，不能娇惯女孩，也意味着妈妈要从小培养女孩自立和抗挫的能力。妈妈要培养的是一个好女孩，而不是一个"富家千金"。

有一位母亲，她和丈夫经营一家公司，家里十分富裕，可她的女儿已经十几岁了，还不会自己系鞋带，上学放学专车接送，饭来张口，衣来伸手，而女孩显然已经习惯了这样的生活。但商场如战场，在金融危机中，她的公司也卷入了这场金融风暴中，很快倒闭了。再也没有司机接送，没有人伺候生活起居，前后生活的差距让这个女孩无法接受，最终在花一样的年纪选择了放弃生命。

诚然，养儿育女是每一个为人父母者的义务和责任，用爱来呵护儿女本无可厚非。但是，其中所蕴含着的方法和智慧，却是值得商榷的。显然，这位母亲对培养女孩有误解。培养不光是金钱和物质的供给，更是爱的呵护、品质的精心培育。"悉心呵护"不是所谓的"娇生惯养"，娇惯出来的女孩柔弱、任性、娇纵、难管，而且不懂关心他人、不知感恩妈妈、耐挫意识弱、自制能力差。现代社会，很多青春期女孩动辄厌学、出走，甚至自杀、行凶等现象屡见报端，更有一些女大学生形成了"学得好不如嫁得好"的人生观，这都与妈妈的娇惯有一定的关系。

那么，妈妈应该怎样既"呵护"又不"娇惯"女孩呢？

有句话说得好，"与其在夕阳西下的时候做美妙的幻想，不如在旭日东升之际勤奋投入工作；与其在垂暮之年因理想未能实现而懊悔不已，不如趁风华正茂之时躬身实践、奋斗不止"，妈妈教育女儿也是这样，培养女孩一定要从女孩幼年开始。健康平和的心态、温柔贤惠的性格、气定神闲的气质、睿智聪颖的形象都需要从小培养。具体来说，妈妈不妨从以下几个方面入手：

第一，精神上绝对应该"富养"。比如，带孩子去听音乐会，以开阔眼界，丰富知识。有空的时候，带她出去旅游，让孩子学会欣赏大自然的山水，了解各地的风土人情。

第二，要培养孩子正确的心态，接受一些现实。比如家境不好，不要盲目攀比别人拥有的物质财富，关键是要用自己的知识和能力去创造这些财富。

第三，要让她意识到，任何东西都是付出劳动才能得来的，没有理所当然的索取。现在很多家庭的独生女普遍比较自我、霸道，因此妈妈在生活细节上还要学会对孩子有所保留，孩子要"十分"，给个"六七分"就好，必要的时候跟她讲讲条件。

第四，不妨做一个"懒妈妈、懒爸爸"。女孩天生有母性的光辉，喜欢照顾别人，在成长过程中也总是喜欢参与家务劳动，而大多数爸爸妈妈太勤快，剥夺了她们劳动的机会，才使孩子变得缺乏生活技能。

有人说，"男孩养志气，女孩养气质"，对女孩，不仅要让她学琴棋书画，陶冶情操，也要多一点儿自强不息的教育，不服输、愿意吃苦，这样女孩才会关心别人，帮助别人。当女孩长大成人，才会积极健康、乐观向上，同时又有主见，做事明智。而这些都需要妈妈的精心培育，不管家庭经济条件如何，妈妈都要在养育女儿的实践中不断创新和丰富培养孩子的方式和内涵。

妈妈要小心女孩养成自私自利的坏习惯

所有孩子的优秀品行都不是天生的，而是后天通过适应环境条件培养出来的。女孩在出生之后，妈妈就要尽可能地为她营造一个舒适的成长环境，让她有一个积极的心态，不会因为物质上的欠缺而自卑。这一点张女士深有体会：

她说："我有两个孩子，大的是女孩，比她弟弟大5岁。在他们小时候，家里条件比较差，所以我总是教育他们要勤俭节约，也基本上没有给过孩子什么零花钱。可是，在生活中总是不由自主地会偏向小儿子一些，物质方面的满足比他姐姐要好些。等他们长大后，一些弊病就出现了，女儿虽然很听话，可也有些自私，很少将自己的东西与人分享。"

女孩品质的形成与妈妈息息相关，只有教会孩子礼尚往来，女孩才不会自私，才不会不愿与人分享，不会变得一味贪图享受。

女孩的自私自利表现在这些方面：只顾自己，一切以自我为中心，尤其在意金钱和财物。自己的东西无论如何都不会给别人，而又特别希望得到别人的东西。这样的女孩很难有知心朋友，其行为还会令大人厌烦。许多自私自利的女孩在外面不知道关心他人，在家里也不知道心疼妈妈。

王阿姨最近非常苦恼，因为她发现自己的女儿越来越自私，有好吃的都霸着自己吃，自己的玩具从来都不肯和其他孩子们一起玩，幼儿园老师也反映说，为了争芭比娃娃，她竟然和小朋友们打架。"我真不懂，我和她爸爸对孩子都是无私的，什么都问她要不要，但为什么她却那么自私，什么都要留给自己呢？"

在现实生活中，这样的孩子的确不少。妈妈的无私让孩子不懂付出，这样的苦恼其实也困扰着不少妈妈，其实，这种对孩子的溺爱对孩子良好品质的形成是极为不利的。妈妈要明白"心底无私天地宽"，自私的人只会把路走得越来越窄，直至陷入绝境，人要学会付出，才能活得有意义，能够付出爱和宽容的人才能找到一片广阔的天地。

因此，在教育女孩的时候，一定要避免让女孩养成自私自利的习惯，要让孩子在精神上富足，而不是物质上。为此，妈妈要做到：

第一，妈妈对孩子不能盲目溺爱、一味地娇惯，对孩子的要求需分清楚是否合理，对于一些不合理的、过分的要求应予以明确拒绝，并对孩子耐心地讲解道理，指出她们的不足之处，必要时提出批评。当然，要孩子一下子就接受是不可能的，其间必然有一个适应的过程：

（1）利用"角色扮演"方式，让孩子可以设身处地地了解自私自利对他人造成的伤害。

（2）不要因为孩子哭闹而大发脾气或者盲目迁就，而是有条件地加以引导、劝阻。

（3）通过批评和赞美，让孩子了解自私自利的弊端与乐善好施的喜悦。

第二，妈妈要言传身教，别让自己的自私成为孩子学习的负面教材。

如果孩子已经出现自私行为，妈妈要及时寻找方法给予纠正。包括帮助孩子增强利他的价值观，让孩子感受自私行为的恶劣后果。而妈妈的言传身教更是至关重要，因为自私的妈妈只会造就自私的孩子。

所以，一定不能把孩子置于只享受、满足欲望而不履行义务的特殊地位，要让她懂得欲望的满足和履行义务同等重要，如有好吃的，不应独自一个人享用，而是主动与他人分享，在家里应该常常想到自己应该帮妈妈干点儿什么。这样女孩才会养成尊重长者、关心别人的习惯，而不会事事只想到自己。总之，妈妈要明白，家庭教育的目的是培养好女孩，而不是培养自私自利的女孩。任何良好的品质都不是一蹴而就的，需要妈妈的精心培育。

健康的心态是培养女孩的重中之重

身为妈妈，都希望自己的女儿成为一个快乐、彬彬有礼、善良而正派的人，培养女孩一个重要的目标就是让她有健康的心态，温柔贤惠的性格。但现代社会有很多家庭都是独生女，这些女孩往往自以为是、独断独行、目中无人，而孩子这种心理的形成，与很多妈妈错误地理解了培养女孩的含义密不可分。妈妈可以偏爱点女孩，但不能娇生惯养，要让她见识多广、独立、有主见、明智，而不是让女孩成为一个心态脆弱、独立性差的人。

第03章
不宠不娇，妈妈要培养出一个没有公主病的公主

有人说过，只有不成功的妈妈，没有不成功的孩子。妈妈无论想把女孩培养成牡丹还是富贵竹，都要根据女孩本身的特性，因势利导。没有哪个女孩生下来就是目中无人的，任何不良的品质都和家庭有着千丝万缕的联系。

其实，在女孩的眼里，世界是以"关系"为主，同时由于女孩比男孩更崇尚和谐，因此，她们更喜欢用和谐的方式来构建社会关系，也愿意通过沟通和交流融入社会人群中，寻找自我价值。这样的女孩更容易得到一种归属感或合群感、认同感，这对于女孩很重要。也就是说，很多女孩形成目中无人的性格是后天所致的。

曾经在某所贵族学校，有个女孩被学校老师称为"暴力女孩"，因为她喜欢联合学校的一帮女生欺负自己"看不惯"的女生甚至很多老师。后来，她被学校开除，而且她坦承自己这种坏品行和自己的父亲有关。

原来女孩的父亲性格暴躁，母亲在家里一点儿地位也没有。一天晚上，她原本是和朋友一起去看电影，但出门不久，发现电影票忘带了，便返回家中取。当她准备进家门时，却在门缝里看见父亲将母亲压在地上使劲儿地打，女孩气急败坏，冲上去就揍了父亲一拳，但打了父亲以后，那晚上她在床上翻来覆去，无法入睡。一整晚，脑海里不断重复上演着那些画面。女孩从此性情大变，逐渐开始学会用拳头解决问题。

孩子为什么会变成这样？因为她爸爸给她上了一堂"暴力课"。的确，培养一个优雅、聪慧、大方的女孩，心一定要放到最温柔，就像对待那些娇嫩的花，细致婉约，容不得任何粗糙。但这并不是要娇惯孩子，妈妈要根据女孩的行为优劣势，有针对性地制订一些具体的教养方法，使之成为一个有教养的女孩。具体方法如下：

第一，制定规则。妈妈一定要让女孩明白什么是可以容忍以及绝不能容忍的行为。要有的放矢，坚定自己的信念和原则，然后让孩子了解妈妈的想法以及目标。

第二，一次只解决一种不良的行为。孩子的不良心态往往表现在很多方面，假如女孩一直重复出现某种不良行为，那么你就要集中注意力了。的确，也许你的孩子有一大堆的行为问题需要解决，但是要改善孩子行为最有效的方式就是一次只解决孩子的一种不良行为，这样你将更有可能去永久改正孩子的不良行为。一个个解决以后，你的女孩就能形成一种习惯，一个行为优雅的女孩才更显教养。

第三，冷静地与你的小公主沟通。如果孩子破坏了你定下的规矩或者是表现出某种不良行为的话，你就应该考虑严格要求孩子了。每次在和孩子说话前请做一个深呼吸，尽量让自己保持冷静。然后看着孩子的眼睛说出你的要求，要确保你已经引起了孩子的注意。请记住，你的目的是要在对孩子的疼爱中规范孩子的行为，而不是在愤怒中斥责孩子。

第四，建议女孩进行积极的选择。具体来说，你希望孩子形成哪些新的行为呢？请给孩子提供一两个可以进行正面选择的机会。例如，"请你温和有礼地和我说话。""下次你该怎么做才能保证不会再以这样的语气和邻居阿姨说话呢？"

第五，如果孩子继续违反规则或者她依然没有改正自己的不良心态，那么你需要向孩子解释她这样做的后果。例如，"你如果不能温和有礼地跟我说话，你就不能用电话。""你如果再对你姐姐大喊大叫，你就要去反省。"请记住，你的解释务必做到具体、简短而又严格。如果孩子再次出现不良行为，你也可以考虑征询一下孩子的意见，看看怎样处理才算公平。一般来说，与妈妈选择的处理方式相比，孩子们的选择往往会比较公平，而且更符合他们的"罪行"。

第六，当场纠正女孩的蛮横无礼、目中无人的错误行为，落实和女孩之间达成的协议。即使她的不良行为依然没有改正的迹象，也要把你和她之间达成的协议坚持完成。你必须保持协议的一致连贯性，而且要做到言出必行，这样孩子就会明白你是认真的。一旦孩子出现不恰当的态度，你就应该马上加以纠正。

第03章
不宠不娇，妈妈要培养出一个没有公主病的公主

任何人都希望自己的女儿聪明伶俐、落落大方、待人彬彬有礼，一个典雅的小公主不能是一个目中无人、骄纵的女孩，而应该是一个有修养、温婉大方的女孩。妈妈应该悉心地呵护、培育女孩，但不能娇纵她，一个颐指气使的女孩是不会被人喜欢的，妈妈不能让自己教育的缺失影响孩子的一生。

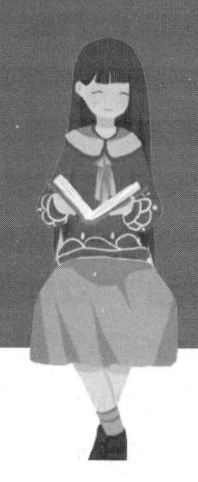

第 04 章
积极阳光，妈妈引导女孩牢牢把握人生的方向

　　妈妈是女孩坚强的后盾，但不能搀扶着女孩走完一生，女孩始终要独立、勇敢地面对生活。女孩需要培养的不仅是身体素质，还有精神，尤其是一颗勇敢的心。谁都想把自己的小公主培养成搏击长空的"天之骄女"，但免不了要经历一些风雨和挫折。对此，妈妈应该做到以下三点：第一，不要过分干涉孩子的生活，要培养女孩的闯劲儿，对孩子，一是要管，二是要放；第二，要鼓励女孩和男孩一样，做出一些勇敢的行为；第三，增长孩子的见识，增长见识是培养女孩的精髓，一个有胆识的人必须以见识为基础。

　　女孩和男孩不一样，要用适合女孩的方法进行教育。教会她勇敢，教会她如何积极地面对一切人和事，就相当于给了她一笔取之不尽，用之不竭的精神财富！

告诉女孩勇于说"不",不做来者不拒的"软柿子"

对于女孩来说,需要学习的一项重要的本领就是保护自己,女孩只有保护好自己,才能在以后的生活中正确处理诱惑和不友好,而这种保护就需要女孩学会拒绝别人,并有勇气说"不"。当遇到不能接受的事情时,女孩要勇敢地说"不";当有人对女孩不友好时,女孩也要勇敢地说"不";当面对不公平的对待时,女孩更要勇敢地说"不"。而做到这些,女孩必须勇敢。这一心态的获得,必须进行勇气的培养,妈妈始终是女儿最坚强的精神后盾,无论女孩走到人生的哪个阶段,无论如何女孩遇到什么困惑,都需要妈妈的呵护。

报纸上曾经有一篇报道,说的是某中学初二的一个女生在放学回家的路上被几个流氓欺负了,但一直不敢向学校和妈妈反映,导致课堂上的她一直注意力不集中,精神涣散,后来居然患上了抑郁症。

看到这些,可能很多妈妈心存隐忧和害怕,会担心女儿长大后不能保护自己,其实,只要给女孩勇气,教她学会拒绝别人,就是教给了她自我保护的本领。虽然中华民族一向提倡谦让的美德,但是,如果女孩非常不愿意,却要让她故作谦让,忽视自己的需求和权益,去满足他人的需求和权益,这对女孩的成长也是没有好处的。久而久之,她会变得没有自己的想法,即使自己的需求和权益受到他人侵犯,也不善于去维护和争取。

因此,教会女孩拒绝别人,最重要的还是要增强孩子的勇气,让女孩有胆量去拒绝,女孩一般都比较害羞和胆怯。有些女孩虽然有不愿意的情绪,但是因为胆量较小,不敢自己去拒绝,这时,好心的妈妈往往会替孩子拒绝他人,从而维护孩子的权益。这样做的结果就是,女孩失去了实践的机会,从而导致胆量越来越小，越来越不敢开口说"不"。这不是在帮助女孩，而是娇宠女孩，看似爱女孩，实则害了女孩。

那么，妈妈应该做的就是根据女孩胆小、害羞的性格特征，让女孩勇敢起来，让她敢于说"不"，具体来说，妈妈可以做到以下几点：

第一，让女孩坚持自己的决定。有些女孩不敢拒绝同伴的要求，是因为害怕别人不跟自己玩，害怕由于拒绝而导致的孤独，离开伙伴心就没着落。因此，她平时跟小伙伴说话都很小心，别人要什么东西，她就会拱手奉送，可是，事后她就后悔了。这种情况常发生在年龄较小的女孩当中。这就需要妈妈逐渐培养女孩的果敢品质，自己说过的话、做过的事，就应该勇敢地承担起责任来，自己拒绝同伴后就应该承担起受冷落的后果，而不是过后就反悔。

第二，不能娇惯孩子，更不能越俎代庖。拒绝其实是一种习惯。有时候，女孩不会拒绝他人，虽说与她的胆量有关系，但也是因为缺乏拒绝的经验，还不习惯说"不"。此时妈妈不要因为女儿受了委屈，就主动"打抱不平"，长时间的越俎代庖，只能让女孩失去拒绝别人的勇气。

第三，教给女孩一些拒绝别人的技巧，比如：

（1）让女孩直接说出理由。妈妈要教导女孩，自己不愿意答应别人时，可以直接向对方陈述拒绝对方的客观理由，包括自己的状况不允许、社会条件限制等。

（2）让女孩学会用商量的语气和别人说话。告诉孩子，拒绝别人有时要和对方据理力争，直到对方认可。

（3）让女孩学会间接拒绝别人。告诉女孩，当自己实在无法满足对方的要求时，开门见山、直截了当式的拒绝，犹如当头一盆冷水，使人难堪，伤人面子。而换一种方式，就不一样了。

大多数妈妈都明白一个道理，即女孩最终也要走向社会，爱她不能溺爱她，她始终也要在群体中生活。与人分享，才能得到别人的信任、支持和尊重，因此，妈妈希望自己的女儿学会与人分享，养成慷慨大方的美德，这一点没错。然而，任何事情都要讲究一个度，若是轻易承诺了自己无法履行的职责,将会带给自己更大的困扰和沟通上的困难,这就需要学会拒绝别人。女孩只有学会拒绝,才能在纷繁复杂、物欲横流的社会中始终站稳脚跟,让自己生存得自立自强。但拒绝别人实在不是一件容易的事,这就需要妈妈在生活的一点一滴中培养,从各个方面让女孩树立起拒绝别人的勇气,这样女孩在与别人自主交往的过程中,才能学会有效地拒绝别人,也能学会友好地与他人相处,这是女孩成长过程中不可缺少的一种经历。

积极进取且谦虚谨慎的女孩未来走得更平稳

谦虚使人进步,骄傲使人落后。现代社会,女性只有积极进取,承认人外有人,天外有天,才能认识到学无止境的含义,才能开阔眼界,不断地吸收新的知识。而现代社会,很多女孩出生于独生子女家庭,很多妈妈精神教育的缺乏让这些女孩很容易产生骄傲自大的情绪,而这往往阻碍了女孩人生的长远发展。

列夫·托尔斯泰说:"一个人就好像是一个分数,他的实际才能好比分子,而他对自己的估价好比分母,分母越大,则分数的值越小。"

有个女孩大学毕业以后,对自己的前途充满了信心,因为她在学校一直都表现得很出色,而且还获得过征文比赛的大奖。她一心想到贸易公司工作,并写了许多简历去各大公司应聘。

其中有一家公司写了一封信给她:"虽然你自认文采很好,但是我们看了你写的简历,直言不讳地说,你的简历写得很差,甚至还有许多语法上的错误。"

受到打击的年轻女孩心里很不服气:"我怎么可能在简历上出错误呢?"但是,当她回头仔细查看简历时,确实发现了一些错误,而这些错误的词汇和语法自己一直都这样用,却一直不知道它们是错的。

于是,她给这个公司写了一封感谢信,信上是这样写的:"谢谢贵公司帮我指出简历中的错误,今后我会更加细心的。"几天后,她再次收到这家公司的信函,通知她可以上班了。

人们都喜欢谦虚的人,而不会与自以为是的人为伍。即使是在提倡"毛遂自荐"精神的今天,谦虚依然不失为一种伟大的美德。持有谦虚精神的人如同持有一张通行证,可以畅通无阻地行走于社会,因为谦虚的人更知道进取。而要教育出一个谦虚的女孩,就必须富足孩子的精神世界。那么,妈妈应该怎样培养一个谦虚的女孩呢?

第一,不要过度夸奖女孩。

妈妈对女孩的过分夸奖与肯定,很容易使孩子滋生骄傲情绪,认为自己是最优秀的。一旦这种骄傲情绪产生,再纠正就困难了。

如今,很多女孩的妈妈喜欢在众人面前炫耀女儿在这方面或那方面的"与众不同",这样就很容易使女孩滋生骄傲情绪。事实上,一些潜质很好的女孩之所以没能如愿地在未来成为栋梁,正是源于她的骄傲自满、狂妄自大。

骄傲自大的女孩往往不屑于与别人交往,心胸变得很狭窄。她们虽能取得一定的成绩,但往往只满足于自己眼前取得的成绩,而看不到别人的成绩。只有谦虚的女孩才有机会看清自己,也看清别人,从而博采众家之长。

第二,经常给你的女儿讲一些优秀人物的故事或者一些浅显的道理。

比如,"水满则溢"的故事:一个容器若装满了水,稍一晃动,水便会溢出来。一个人若心里装满了骄傲,便再也容纳不了新知识、新经验和别人的忠言了。故古人云:"满招损、谦受益。"

又如,爱因斯坦的故事:爱因斯坦是个名满天下的科学家,据说有一次他的学生问他说:"老师的知识那么渊博,为何还能做到学而不厌呢?"

爱因斯坦很幽默地解释道:"假如把人的已知部分比作一个圆的话,圆外便是人的未知部分,圆越大,其周长就越长,他所接触的未知部分就越多。现在,我这个圆比你的圆大,所以,我发现自己尚未掌握的知识自然是比你多,这样的话,我怎么还能懈怠下来呢?"

当然,这些道理和故事最好源于女孩周围的生活环境,尤其是同时代、同年龄的其他孩子的优秀事迹对孩子更具有激励作用。让她们知道天外有天,人外有人。很多事物的优越性都是相对的,人所拥有的永远都微不足道,所以没有理由不谦虚一点儿。

第三,妈妈要用自身的言行影响女孩。

妈妈切不可有骄傲自满的表现,因为一个尚未形成价值观、社会观的女孩极易受他人的影响。

第四,妈妈要为女孩创造一个有利于培养其谦虚品质的大环境,并与老师配合。在教育女孩谦虚的同时,也要肯定女孩的长处,让女孩认识到只有谦虚才能使人不断进步。

一个人不管自己有多丰富的知识,取得多大的成绩,推而广之,或是有了何等显赫的地位,都要谦虚谨慎,不能自视甚高。女孩也一样,谦虚的女孩更知道进取,知道要不断探求知识和人生的路。一个心胸宽广、能博采众长、不断地丰富自己的知识、增强自己本领的女孩必能创造出更精彩的人生。

妈妈要培养女孩坚强又温柔的个性

女孩体质娇弱,但绝不能是个弱者。可能妈妈会认为,温柔贤惠的性格对于女孩是最重要的,但女孩还需要勇气,一个柔弱的女孩可能娇媚,让人怜爱,可是一个懦弱的女孩必定难以在社会上立足。妈妈要培养女孩凡事有足够的勇气,把懦弱的苗头扼杀在摇篮里。因此,妈妈应该根据女孩特有的柔与韧,让女孩成长为一个刚柔并济的女性。

女孩聪明可爱自不必说,但是很多妈妈在教育女孩时,往往关注其灵秀性,注重女孩温柔性格的形成,而忽视了其勇气的培养,这就使女孩缺乏勇敢精神。这些"小公主"们凡事怕字当头:怕黑夜,怕生人,怕风,怕雨,怕闪电惊雷，怕动物，怕妈妈不陪在身边……但是妈妈并不认为这有什么不妥，反而觉得女孩就应该如此，只有这样，才会有人疼、有人宠。但是这样的认识未免过于片面了，因为他们没有看到一个懦弱的孩子很难建立起自信，也很难做成自己的事情。

女孩胆小的源头在家庭，在妈妈，在不恰当的教育方式。造成女孩胆小的原因主要有：

第一，经常恐吓。

孩子小的时候，难免会哭闹，有些妈妈见女儿又哭又闹，或者淘气调皮不听话，就采用恐吓的方法来让女孩停止哭闹，比如用大灰狼、老虎来恐吓，甚至关掉电灯或者让孩子独自一人，但这些方法无异于饮鸩止渴，表面上看是制住了女孩的哭闹，但实际上，她们稚嫩的头脑中，会形成抹不掉的阴影，它的副作用是很大的，会给孩子带来长时间的心理创伤。时间久了，即使是一个特别胆大的女孩也会变得畏畏缩缩，而且对生活带有恐惧心理的女孩，是很难有勇气面对"侵略"的。在被欺负的时候，恐惧心理就会卷土重来，像一个巨大的阴影吞噬女孩幼小的心灵。甚至在女孩长大以后，这种阴影仍然挥之不去——即使她们知道，"狼外婆"只是儿时的童话。

第二，动辄训斥。

俗话说："严师出高徒。"很多妈妈望女成凤，认为女孩是管教出来的，于是便陷入一些误区，她们对女孩管教得很严厉，对孩子的要求过于苛刻，孩子稍有差错，或稍有不顺眼的地方，动辄大声训斥、严厉批评。然而，妈妈不要忘了，女孩生性敏感，动辄大声训斥，不是让孩子彻底丧失自尊心，就是让她与自信心无缘，这样的做法无异于扼杀孩子的未来。

第三，过分娇惯。

与过分严苛相同，过分娇惯同样会让孩子产生懦弱的心理。孩子们没有了接触挫折和失败的机会，也就失去了锻炼的机会。很多妈妈潜意识里把女孩当成柔弱的人来看待，过分地强调会使孩子产生自卑感。这让一个原本自信的女孩，失去了坚定、果敢、骄傲等品质，对于女孩的成长极为不利，鉴于此，

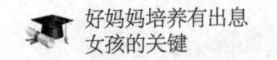

妈妈应该改变教育方式，教女孩温柔但不软弱。具体来说，妈妈可这样做：

第一，妈妈自己必须勇敢、坚强，做女孩的榜样。同时，还要积极鼓励女孩大胆与人竞争，积极参与各种活动，在参与中锻炼和壮大胆量。勇敢心态的培养要从小开始，从点滴的小事做起，对女孩多鼓励、多赞赏，帮助孩子排解心理障碍，克服自卑心理，才能造就新时代的新女性，让她们生活在自信自立的天空下，快乐而幸福。

第二，不要过分溺爱女孩。妈妈的过分保护会给女孩消极的暗示。在妈妈的溺爱下，女孩一方面会变得骄纵、不可一世；另外，女孩的身体动觉能力也没有得到开发，会对实践产生畏惧心理。

第三，鼓励女孩对外交往。女孩需要在交往中锻炼自己的能力。如果生活中缺少了这一环节，她们就不知道该如何与别人交往，当碰到不公平的事情时，就更不知道怎么处理了。

第四，鼓励女孩勇于争取。著名女作家梁凤仪小的时候，是一个不敢说话的小女孩。有一次，小凤仪跟爸爸逛商场，就要离开时，她拽住爸爸的衣角："爸爸，再玩一会儿吧。"小凤仪并不是贪玩的孩子，她只是想要柜台里漂亮的洋娃娃。爸爸看出了她的心思，却没有主动买给她。终于，小凤仪忍不住了，她用细若蚊蝇的声音说："爸爸，我……想买一样……东西。""买什么？说话别吞吞吐吐，想要什么说出来！""我想买一个洋娃娃！"小凤仪鼓起勇气说。于是，她得到了那个洋娃娃。

梁凤仪的父亲是睿智的人，他鼓励女儿去争取，让女儿大胆地表达自己的想法，更让女儿尝到了因为争取而获得成功的喜悦。

妈妈不可能永远是女孩的保护伞，只有真正地让女孩勇敢起来，拥有积极的心态，做一个生活的强者，才能让女孩独自去面对原本就不是一帆风顺的生活，在挫折面前才不会奢望别人的帮助，才不会在外人面前轻易流泪，才不会在困难面前手足无措、六神无主，也才能成为一个新时代的"女强人"。

引导女孩喜欢自己，不做挑刺儿的完美主义者

每个女孩都是一个独立的生命个体，都有着无法复制的一些特征，正是这些特征，让女孩在妈妈心中有无法替代的位置。一个女孩只有喜欢并接受自己，包括优点和缺点，相信自己是最棒的，才能在人生的路上勇往直前、无所畏惧。马丁·路德·金说过："世界上所做的每一件事都是抱着希望而做成的。"接受并喜欢自己，是建立自信和勇气的前提，而这就需要让女孩从小在温馨和谐的家庭环境中成长，给孩子一个阳光积极的心态，才是培养有出息女孩的基础。

每一个人都需要自我认同感，成长中的女孩也一样，但实际上，很多时候，自我认同感的缺失是由妈妈的教育造成的。例如，从小给女孩贴上"弱者"的标签，对女孩的缺点大加指责等，都会让女孩有一种"无助感"和"自我否定感"，长期生活在这种心理状态下的女孩，是很难有勇气和自信的。

那么，妈妈该怎样做才能让女孩喜欢自己，然后逐步建立起勇气和自信呢？

第一，让女孩喜欢自己的性别。这是最基础的，只有先获得身份的认同，才能让女孩以女性的身份生存、生活、与人交往，从而赢得一种自我价值的肯定。对那些不喜欢自己性别的女孩，妈妈一定要及时引导，有位妈妈是这样做的：

"我女儿从两岁时，就希望自己是个男孩，为了让女儿更加认同自己的性别，我首先带女儿逛儿童服装店，欣赏女孩服装，看到色彩鲜艳、款式多样的衣服和裙子，女儿恨不得让我把所有服装都买回家给她穿。我再带她到外婆家看表哥的衣服，一对比，孩子就发现：男孩的衣服不如女孩的好看。我说：'要是变成男孩了，只能穿和哥哥一样的衣服了。'女儿似懂非懂地点点头。晚上洗澡的时候，我还对她说：'我们女孩还很讲卫生，从来不随地大小便。'洗完澡，我给她穿上漂亮的裙子，让她照镜子，欣赏自己。我说：'要

是不喜欢做女孩，妈妈就把你的漂亮衣服送给别的小朋友吧。''不要！'女儿急得大声说。"

这位妈妈是个有心人，女孩是公主，喜欢自己的公主，才会被人喜欢，才会有勇气和自信去赢得别人的认同。

第二，让女孩扩大交友范围，赢得友谊。友谊对女孩极其重要。朋友们认可她，可以帮助她产生归属感，因为朋友们会让她意识到自己讨人喜欢，被人喜爱。朋友们也会经常分享她感兴趣的事物，陪她打发时光，为她带来快乐，让她建立身份认同。她会想："和这样的人做朋友，我就是和他们一样的人。"真正的朋友在对方遇到麻烦的时候，不离不弃，为之提供支持。换言之，真正的朋友，对于她获得身份认同、建立自信、培养社交能力以及给她带来安全感，都是非常重要的——如果她的朋友都是"良友"的话。

女孩与朋友关系密切，朋友几乎就是她个人的延伸。妈妈一定要明白，拒绝她的朋友，就是在拒绝她本人，这使得你想开口对她说她交错了朋友变得格外困难。如果她的朋友想要破坏你和孩子之间的规矩，挑战你的价值观并引发你的担忧，在你采取行动试图将他们排除在她的朋友圈之外前，请一定要慎重考虑。他们可能确实是正常的孩子，只是想挣脱大人的束缚而已。在你禁止任何事情之前，要主动和你的女儿交谈，因为一味地禁止可能导致事与愿违。

第三，女孩也需要游戏。游戏对于一个人建立自尊和自信非常重要。和朋友一起玩角色扮演的游戏时，女孩特别擅长设计故事情节。游戏使女孩得以认识自我，因为通过选择决定玩什么或者做什么、和谁一起玩、如何建立规则等，她们可以逐渐丰富自我概念，并获得身份认同——这二者正是建立自尊必不可少的两个步骤。通过游戏，女孩还可以发现自己有能力做些什么，因为游戏有助于培养她们在语言、社交、手工、制订计划、解决问题、协商和身体运用方面的能力，从而增强她们的自信，提高她们社会交往和结识朋友的能力。

第四，告诉女孩："自信源于成功的暗示，恐惧源于失败的暗示。积极的暗示一旦形成，就如同风帆会助你成功；相反，消极的心理暗示一旦形成，又不能及时消除，就会影响一生的成功。"

第五，女孩独自进行一些有安全保障的游戏，会使她们逐渐认识到，自己是可以独立完成一些事情的。

总之，妈妈是女孩人生路上的导航者，女孩在成长中，难免出现一些负面消极心态，妈妈要及时地予以排解，从而培养出一个勇敢、积极的女孩。

从小训练女孩积极应对生活中困难的能力

妈妈都望女成凤，但妈妈不恰当的教育方式和家庭环境，让很多女孩自卑胆怯，无法应对生活中的变故，从而和成功失之交臂。不难发现，生活在以下家庭中的女孩往往勇气欠佳：

（1）生活在破裂家庭中的女孩。由于得不到足够的父爱或母爱，与其他女孩相比，显然缺少一种优越感，从而导致自卑。

（2）生活在崇尚"完美主义"家庭中的女孩。由于妈妈要求女儿将每一件事都做得十全十美，但实际上这是不可能达到的，于是女孩常常受到妈妈过多的指责，使女孩因怀疑自己的能力而产生胆怯的心理。

（3）生活在妈妈能力特强的家庭中的女孩。这些孩子常会感到，妈妈样样都行，就我不行。有时妈妈本身的行为会妨碍女孩能力的发挥，尤其是妈妈处处代劳、事事包办，使孩子很少有机会去处理问题，锻炼能力，从而产生自卑。

（4）生活在妈妈作风粗暴、专横家庭中的女孩。由于妈妈教育子女的方式简单粗暴，或经常体罚孩子，会使孩子因自尊心受挫而产生胆怯，经受不住生活的考验。

其实，培养女孩，除了要给女孩一个优越的成长环境以外，还要教会孩子如何面对生活，用积极的心态承受挫折。妈妈既要呵护女孩，又要让她经受挫折和失败，毕竟喜怒哀乐少了哪一种体验都会造成心理上的"营养不良"。当孩子遇到麻烦时，妈妈不能一个箭步冲上去，撑起用爱筑就的保护伞，为她遮风挡雨，而应该忍住"帮孩子一把"的冲动，给她一个品尝挫折的机会，让她自己走出困境。那么，妈妈应该怎样培养孩子积极的心态呢？

第一，妈妈首先要能够经受住失败，给女儿做好榜样。

在一些妈妈看来，孩子的成绩就是大人的"脸面"——考好了脸上有光，不好就丢人现眼。所以，一旦女孩犯错或遭遇失败，面子上先挂不住的恰恰是妈妈自己。妈妈希望女孩在挫折面前有很好的表现，自己却不能客观地看待孩子的失误，接受失败的现实，指责、埋怨甚至挖苦，这只会给孩子的心理蒙上一层阴影，使孩子误以为失败是可耻的。正是妈妈的"坏"榜样，造就了孩子的"输不起"，更别说勇敢面对了。

明智的做法是不以成败论英雄，平和、坦然、一分为二地面对失败。当孩子遇到失败和挫折时，妈妈要告诉孩子："我们的目标只是'尝试'而不是'成功'，即便最终失败了，只要我们之前已经尽了全力，也能从中有所收获。"这样孩子就会轻松许多。

第二，妈妈不能因为女孩较弱而事事包办。

星期天早上，4岁的悠悠学着妈妈的样子把自己的小被子平铺在床上，可无论是先折横边还是先折竖边，叠出的被子总是长不长、方不方，一点儿也不规整。

悠悠妈妈这时跑过来说："你这么小，哪叠得了这么大的被子，妈妈来弄！快去玩吧！"话音未落就把被子叠得方方正正。

这位妈妈的做法是错误的，实际上，女孩有能力将这些事情做得很好，只是需要妈妈的耐心。面对女孩遇到的大小麻烦，妈妈耐心的指导比简单的包办更能让她享受到干好一件事的快乐，这也是女孩克服困难、战胜自己的动力。指导的目的是让女孩学会解决自己碰到的各种难题，如果妈妈的帮助让她感到自己的无能，对未来失去信心，并丧失尝试和努力的欲望，这绝对是对女孩巨大的伤害。

第三，让孩子微笑面对逆境和困难。

因为人生阅历和年龄的关系，尽管身处逆境，很多女孩也往往摸不清挫折的"底细"，需要依据妈妈的态度来猜测和判断。妈妈的情绪直接传染孩子并起着明显的导向性作用。妈妈应该教导孩子以积极向上的姿态和轻松的心态应付困境，这样做能减轻伤痛的指数。

妈妈都希望自己的孩子在困难和挫折面前有"明知山有虎，偏向虎山行"的勇气和决心，这是勇者的表现。妈妈要让女孩明白，很多事都不是顺顺当当一下就能做好的，但只要肯学、愿意想办法，很多难题都能迎刃而解。当女孩误以为自己走投无路时，最需要妈妈帮助点燃心中的希望，看清自己的潜力。妈妈要告诉女孩，困难不等于绝境，关键是自己不能先被困难吓倒。要从困境中找到一个出口，获得比较圆满的结果，这个过程是孩子战胜自己的过程，如能使其长久地保持"我一定能战胜困难"的热情和信心，那么妈妈无疑是给了女儿一种不断提升自己能力的体验，这将是一笔巨大的人生财富。

如何引导女孩从挫折中尽快走出来

随着经济的发展，生活水平一代比一代好，见识也是一代比一代广，现在的女孩大多出生在四个老人、一对父母的"四二一"家庭环境中，从长辈那里获得关爱也是越来越多，可是承受挫折的能力是不是也是一代比一代强、一代比一代出色呢？答案不尽然。诚然，女孩生性娇弱，但不能怯弱，培养女孩的重要目标之一，就是要培养女孩积极的心态、勇敢对抗挫折的品质。面对天真的孩子，妈妈有责任思考，女孩今后要面临的困难还很多，妈妈应怎样引导，才能让女孩在社会上独自闯荡时，能坚强地面对挫折呢？

可以说，女孩是爱哭的天使，这正是女孩惹人怜爱之处，妈妈要培养女孩敢于承受挫折的能力，让女孩在哭过以后，把失败当成重新奋起的起点，把眼泪当成成功的催化剂。生活中大大小小的逆境，都是磨炼女孩毅力和意志的竞技场。当然，要让女孩有这种积极的心态，需要妈妈从小的教育。具体来说，妈妈可这样做：

第一，要培养幼年女孩开朗的性格，发展女孩良好的人格素质。

对于同一件事情，不同的人有不同的感受。对于同样的挫折情境，个性特征有缺陷的人更容易感受到挫折，如性格孤僻、沉郁压抑、过于内向、自卑或急躁冲动、感情脆弱的人就是如此。因此，在幼儿期就要培养女孩活泼开朗的性格，发展其良好的人格素质。

女孩的人格素质是在其交往、生活经验中逐步形成的。幼儿园的集体生活、以游戏为主的轻松愉快的学习活动、平等的交往、家庭和睦民主的氛围、妈妈的关怀鼓励等，均有利于幼年女孩开朗性格的形成。但是现代生活中的许多环境和人为因素，如高层住宅、缺少伙伴关系、妈妈忙于工作、交往限制、电视和游戏机等，都压抑着女孩天真、快乐的天性，助长女孩孤僻、冷漠、抑郁、自卑、自我中心、自我封闭、怯懦等人格的形成。妈妈应正视这些不利的环境和人为因素，创设愉快的教育环境，进行正面积极的引导，鼓励女孩进行同伴交往和家庭和谐沟通等，培养女孩乐观、合群、自尊、自信的开朗性格。

第二，把真实的生活还给女孩，培养女孩的意志力和独立能力。

妈妈要明白，培养女孩并不是要女孩远离挫折，相反，应该让女孩接受真实的生活。如果女孩在受到意想不到的打击时能迅速振作起来，那就表明她看到了自己身上的力量。每一个问题的解决都会让她感受到成就的快乐，获得自信和探索的勇气。正是这种勇气和自信使她提升自己的能力，并能以这种积极的心态应对随时出现的问题，遇事不慌，也就能将挫折转化为奋斗的动力。

如果女孩的成长道路过于平坦，很少参与社会活动，实践能力较差，一旦进入复杂的社会生活，便常常感到无所适从，紧张焦虑。妈妈需要摆正孩子在家庭中的地位，把真实的生活还给孩子。因为孩子们虽经历尚浅，但也会遇到各种挫折，如走路摔跤、和小朋友打架吃亏以及生病等，在这些日常生活的困难情境中，妈妈可有意识地鼓励孩子锻炼自己的受挫能力和意志力。

如一位年轻的母亲，在她的女儿蹒跚学步跌倒时，从不去扶她，只在一旁给予鼓励："爬起来，自己爬起来！"当女儿的小手拿不稳东西，东西掉在地上时，她不帮助捡，而是鼓励说："自己捡起来！"她的女儿从小就养成了"自己跌倒自己爬起来，自己掉东西自己捡"的独立精神与负责行为。

　　妈妈要引导女孩学会自己的事情自己做，学会自己照顾自己，从刷牙、洗脸、穿衣、洗手帕等小事做起，慢慢进步到帮助大人做拿东西、扫地、擦桌子、洗碗筷等力所能及的家务劳动。如果能持之以恒，对女孩的成长和独立工作的能力、挫折耐受力的训练都有好处。如果妈妈把女孩放在一种特殊地位，事事包办代替，那么她们就会形成一种"鸡蛋壳"心理：在家任性、自私、无礼，一旦走出家庭，失去妈妈的支持，就会变得胆小、畏缩、缺乏独立性，人际关系紧张，缺乏克服困难的毅力和知识经验。这样的女孩势必会在心理上遭受更多的冲突和创伤。

　　第三，帮助女儿认识自我，接受自我。

　　一个人只有眼睛望着理想，双脚踏着现实，才能立于不败之地；只有充分认识和了解自己，才能确定合适的目标，才能不断走向成功。这样，当女孩面临挫折、困难甚至失败时，能认识到自己的不足，也就能从失败中吸取经验和教训，重新来过。

　　第四，避免对孩子期望过高。

　　女孩在做事情时，难免会犯错误，妈妈应有意识地避免将其定为"失败"，而应适当改变过高的期望目标，使女孩在成长过程中接受妈妈的鼓励和支持，敢于犯错误。简单来说，妈妈要先肯定成绩，改变孩子受挫意识，再适当调整期望目标，使女孩树立克服困难的信心和勇气。

　　总之，妈妈要有意识地从各方面入手，采取多种方式，对女孩进行教育，让女孩从小形成积极的心态，在挫折和失败面前，能冷静地思考，找到成功的突破口，这样就会从失败中站起来，坦然与挫折携手，擦干眼泪，继续上路。女孩需要本真生活的历练，需要逆境的打磨，只有这样，女孩才能学会逆事顺办，养成坚持和执着的品性，为人生中的种种困境罩上希望的光环。

女孩失败了，妈妈要鼓励她再尝试一次

人生中，困难和危险无处不在、无时不有。一个勇于迎接困难的女孩，才有战胜困难、获取成功的希望，才能成长为一个高素质的新时代女性，而那些蜷缩在温室中、保护伞下的女孩注定在困难面前会崩溃。这告诉妈妈，在教育女孩的过程中，培养女孩勇于尝试是必不可少的一步。因为人一旦失去了尝试的勇气，就失去了生活的一切！

我们不得不承认，现在的很多女孩都生活在蜜罐里，过着衣来伸手、饭来张口的生活。她们是整个家庭的"中心"，妈妈过度的宠爱，让女孩既缺乏承受挫折的机会，也没有承受挫折的思想准备。所以当挫折摆在面前的时候，这些女孩就会产生懦弱、悲观、处处逃避的想法。但是生活并非一帆风顺，是隐藏着逆境的，对于女孩来说也无法避免。因此，妈妈要富足女孩的精神，使她们懂得如何正确对待挫折、失败、困难，从而具有较强的心理承受能力和坚强的意志，懂得重新来过，这对于她们将来的成长有着非同寻常的意义。

女孩需要富养，也需要对孩子进行耐挫折教育，妈妈必须认识到女孩必须要有从头再来的勇气。无论遇到怎样的失败，妈妈都应该有理智地爱孩子，不能迁就。在生活中，很多妈妈对女孩嘘寒问暖，不让孩子受一点点委屈，这是爱女儿的表现，但过度的关爱和保护，会让女孩失去许多生活经历，接受困难的机会便很少，其生活经验也会更少。女孩在过多的关爱中形成了依赖思想，把自己定位在"弱者"这一台阶上，当遇到困难时，首先想到的便是放弃或寻求帮助，而没有自己克服的意识和勇气。所以，妈妈应更加意识到，真正有出息的女孩，更有勇气去承担失败，也更能在失败中崛起。那么，妈妈应该怎样引导失败的女孩再尝试一次呢？

第一，给予引导。当女孩在交往中遭遇挫折和失败时，妈妈应和女孩共同分析受挫折的原因，从中汲取教训，并想办法克服困难。当她自己克服了困难时，妈妈应及时地给予鼓励和肯定。让孩子体验成功的喜悦，增强克服困难

的信心。如果她独自克服不了困难，妈妈应给予适当的安慰和帮助，以免造成孩子过分紧张，影响其今后的尝试。

比如，有位母亲在谈到克服女儿下围棋时"输不起"的心态时说："当我女儿在下围棋时出现了那样的情况以后，我总是有意识地提醒她：下围棋时肯定会有输赢，只要好好学，什么时候技术超过了别人，你就能战胜对方了。如果暂时还比不上人家，被别人打败时，你也要勇敢些，与其哭鼻子，不如多用小脑袋想想，是哪里出错了。在一次又一次的心理引导和实践中，孩子的承受力渐渐增强了。现在她参加了幼儿园围棋班的学习，经受考验的机会也多了，孩子也更能坦然地面对失败了。"

第二，给予鼓励。当女孩失败后，当她误以为自己走投无路的时候，妈妈要及时地给予鼓励，让女孩坚信挫折只是暂时的，孩子在你的鼓励下就会跃跃欲试，当孩子有了成功的体验后，就有挑战困难的意识了。

第三，给予尝试。女孩有时会主动拒绝尝试新的或她们认为困难的事情，但如果妈妈帮她们将目标确定成"试一试"，而不是"获得成功"，孩子的内心就会轻松许多。如果她们失去了尝试的机会，也就等于失去了犯错误和改正错误的机会，离成功之路也就越来越远。所以当你的女儿拒绝尝试时，作为妈妈要及时地给予鼓励，鼓励孩子去尝试，哪怕最终失败了，如果女孩能在尝试中获得经验和教训，那就会给她们以成就感，从而在未来获得面对困难的勇气。妈妈应在失败后再出面予以帮助，从而让孩子在成人的帮助下获得技能，让她懂得面对困难和挫折不应退缩，而应勇敢地去解决。

第四，借助女孩的其他优势来激励她。在某一领域里的充分自信，可以帮助女孩更好地面对来自其他方面的挫败。如果面临挫折，孩子将自己的优点丢在了脑后，妈妈一定别忘了提醒她，也别忘了借助她的优势激励她改变弱势的信心。通过优势激励，能让女孩有一种自我价值的肯定，这种心理暗示能鼓励女孩从挫折和失败中重新站起来。

总之，作为妈妈，不要让你的女儿在失败面前成为不堪一击的弱者，不

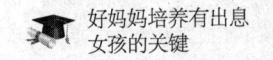

能让她像鸵鸟一样在遇到危险的时候，就把自己的头藏在沙土中以获得心灵上的解脱。在挫折教育大行其道的今天，妈妈不要误以为让女孩吃点儿苦就能培养坚强的女孩而是需要把握好这中间的尺度，培养女孩的抗挫折能力和越挫越勇的斗志，应该让女孩时刻记得，放弃就意味着失败，尝试才有成功的可能。

第05章
品格修养，有出息的女孩有所为有所不为

英国著名作家塞缪尔·斯迈尔斯曾经说过："女人的品质将决定世界的未来。一个无品无德的女孩，不光会对社会造成一定的不良影响，同时还会对下一代造成一种无形的伤害，这样的人，当然会受到社会的排斥、人们的鄙视。相反，一个品性清奇、兰心蕙质的女孩却会让人倍加推崇。"因此，妈妈要把培养女孩高贵的品质作为教育女孩的重要部分，这种品质的培养，能为孩子的社会生活能力加分。

百善孝为先，教育女孩孝顺妈妈

"望女成凤"是千百年来的历史积淀，成了妈妈们挥之不去的深切期盼。很多妈妈为女儿倾尽所有，千种照顾、万般呵护，无非期盼着女儿长大成才，自己能老有所靠、老有所依。渴望孩子孝顺，是做妈妈的第一本能。的确，从天性来讲，女孩一般细心一些，平时对妈妈也会关注得多一些；男孩子心粗一些，容易忽略生活细节，于是就有"女儿是妈妈的贴心小棉袄"一说。可是，有些妈妈急功近利的思想往往抹杀了女孩善良的天性和呵护妈妈的本能，让孩子把心思更多地放在了成功、成才，而不是成人上。正是由于妈妈的教育不当，忽视孩子素质的培养，反而使得女孩产生了叛逆心理，要么无视妈妈的爱和呵护，要么就把自己的全部心血都放在了拼搏进取上，而完全想不到要以爱和孝顺回报妈妈。

女孩本身更具有孝心，孝顺之心是一个女孩子善良、爱心的体现，著名文学家雨果曾经说过："人世间没有爱，太阳也会死。"没有爱，就没有世界的一切，女孩子最可贵的莫过于拥有天使一样的爱心。因此，在培养女孩的品质时，一定要注意培养孩子的孝心。但妈妈一定要记住，孩子的孝心是从妈妈那里学来的，"老吾老以及人之老"，妈妈只有以身作则、孝顺长辈，才能培养一个孝顺自己的女孩。

"可怜天下父母心"，生活中很多妈妈一心扑在自己的女儿身上，把最好的都给女儿，却忽视了女孩品质的培养。可是孩子却显得很冷漠，完全无视妈妈的贡献。当今的一些女孩子非常冷漠，她们常常要求妈妈满足自己所有的愿望，完全没有孝顺之心，并且不以为耻。究其原因，女孩不孝顺的很大一部分原因，是在于妈妈的负面教育。妈妈只有言传身教、孝敬长辈，才能教育出孝顺的女儿。

陈凤是小学老师，在她嫁给丈夫的第二年，婆婆就瘫痪了，刚刚大学毕业、爱干净的陈凤就担起了照顾瘫痪老人的重任，甚至在怀孕期间，她都没有间断。转眼，女儿也8岁了。陈凤对待老人尊敬孝顺，不仅感动了周围的邻居和同事，也感动了自己可爱的女儿，她的孝心得到了回报——女儿每天坚持帮她洗脚。

因为看到妈妈为奶奶洗脚，女儿也坚持要为陈凤洗脚。开始时，陈凤觉得自己能干的活，没有必要让孩子做，可是在孩子的一再坚持下，她也就接受了孩子的"服务"。劳累了一天的陈凤回到家里，女儿总是会在睡前为她打好洗脚水，因为洗脚已经成了习惯，用陈凤的话说："孝心是可以传递的，你想让子女怎么对待自己，你就怎么对待老人"。陈凤说："女儿也很懂事，不用我为她操心。"去年，女儿还因为品学兼优被评为了"三好学生"。

有付出就有回报，妈妈毫无保留地孝敬老人，若干年以后也会实现角色的转换，被女儿孝敬着，陈凤家就是这样。妈妈要以身作则，施教要潜移默化。俗话说："言教不如身教。"孩子会在和妈妈的长期接触中习得一些良好的行为习惯。特别是孝顺公婆这一点，如果母亲本身做得不到位，那么女儿也难以有真正的孝心。

那么，妈妈该从哪些方面以身作则呢？

第一，要真孝顺，而不是"当面一套，背后一套"。一些妈妈当着女儿的面，对公公婆婆孝敬有加，但孩子一走，马上就变了态度，也有一些妈妈，认为给长辈一些金钱，就是孝顺长辈。其实，这在无形中会扭曲孩子做人的准则和价值观，甚至让孩子学会前后不一地对待老人，而且对于女孩品质的形成是极为不利的。

第二，要和女儿一起孝顺长辈，并推己及人，关爱周围的老人。随着孩子年龄的增长，妈妈更应该对孩子进行"老吾老以及人之老"的教育，向孩子进行敬爱父母、老师及长辈的教育。对于喜欢以关系式来理解生活的孩子来说，这是最好的教育。

第三，对于年龄较小的女孩，还不能理解道理上的说教，这时候，妈妈的身教就更为重要了。妈妈的一言一行都会给孩子的人生留下无法改变的印记。

以上这些方法可以对孩子起到身教的作用，这样教育出来的女孩同样会关心妈妈的健康，分担妈妈的忧虑，听从妈妈的教导，不给妈妈添乱，而且也有利于孩子不断增强孝敬父母的观念："父母养育了我，我应为他们多做事。"也才会更爱自己的妈妈，也愿意用自己的行动回报妈妈。

培养脚踏实地的女孩，杜绝女孩虚荣攀比

勤俭节约、真实、勤勤恳恳是中华民族的传统美德。女孩未来要在社会立足，必须学会勤俭持家，这就要求女孩必须远离虚荣攀比。但在这个飞速发展的高科技、高竞争时代，众多妈妈在女儿的智力发展方面下足了功夫，却忽略了对女儿勤俭节约这一美德的培养，因此出现了虚荣攀比的情况。

11岁的米米长得很漂亮，弹得一手好钢琴，是个人见人爱的女孩。但是，她也是个十分"奢侈"的孩子，穿的衣服不是"耐克"就是"阿迪达斯"，总而言之，从头到脚都是名牌。有时候，妈妈给她买的不是名牌的衣服，不管多好看，她都一概不穿，还会因此哭闹。

妈妈对她这点也十分头疼，实在不明白为什么孩子这么小就如此热衷于名牌，而米米的理由就是："让我穿这些，我怎么出去见人啊？我的同学都穿名牌，我要是没有，人家会笑话我的。我不穿，要不我就不去上学。"

不仅如此，米米还不断央求爸爸给她买手机和高档自行车，原因也是

"同学都有"。

米米不是一个特例，攀比已经成了现代社会的一个普遍现象。尤其是出生在经济条件稍微好一些的家庭的女孩，从小就习惯了玩高档玩具，吃高级餐厅，穿名牌衣服，同学之间也相互攀比，比谁的衣服牌子更有名、谁的自行车最高档、谁的手机型号最新、谁爸爸的车更气派。

女孩这种沉溺享乐的比较，是典型的攀比心理，这对她的成长有百害而无一利。事物的发展都是由量变到质变的，如果不掌握好教育女儿的尺度，听之任之，久而久之就会让女儿陷入物质追求的泥潭无法自拔。今天可能要求买高档玩具，明天则有可能是更奢侈的东西。长此以往，当她日益增长的要求无法得到满足的时候，孩子可能就会为了满足虚荣心而抵挡不住社会上的各种诱惑，从而走上不归路。

所以，让女儿养成勤俭节约的习惯，摒弃虚荣攀比的心理，帮助女儿清除人生道路上的隐患，是妈妈义不容辞的责任。具体来说，妈妈可采取以下措施：

第一，让女儿体会挣钱的不易。

富养女孩并不是娇宠女孩，对女孩进行一些勤俭节约品质的教育，才能真正富足女孩的品质和精神。

女孩之所以花钱大手大脚，喜欢和别人攀比，是因为妈妈从小未曾对她进行过勤俭节约的教育。妈妈总是能满足女儿的愿望，加上妈妈对她的宠爱，她根本就不知道金钱的价值和劳动的意义，认为只要自己伸手，妈妈就能拿出钱来，甚至很多女孩不知道妈妈的钱是从哪里来的。妈妈要想女儿学会勤俭节约，就要让她知道金钱的来之不易，这样她才知道节省。

一个周末的下午，小雨要妈妈带她逛商场。她看中了高档的衣服，还要高档的玩具，妈妈不给买，她就噘着嘴不理妈妈了。

妈妈看到女儿这样，想到了一个卖衣服的同学，一个好办法在她心里

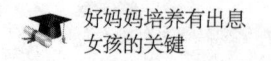

涌现。

她说:"小雨,你想要买东西,妈妈可以给你买。但是,你得先答应帮妈妈一个忙。"

小雨听妈妈这么说,爽快地答应了。

"妈妈有个同学是卖衣服的,你先跟叔叔去卖衣服,叔叔卖出去10件衣服后,妈妈就给你买刚才看中的那些衣服和玩具。"

从没卖过衣服的小雨很高兴,觉得很新鲜,立即回应妈妈:"好啊好啊,卖10件衣服很简单嘛。咱们快走,找叔叔去!"

于是,妈妈把小雨带到卖衣服的叔叔那里,小雨就一本正经地跟叔叔站在一起,帮助叔叔卖衣服。虽然小雨和叔叔每次都很热情地招呼顾客,可一个多小时过去了,一件衣服也没卖出去。

直到快中午了,小雨难过得不得了,没想到卖衣服这么难。到了下午,小雨和叔叔的生意有所好转,衣服卖得很好。当妈妈拉着小雨的手要去买衣服时,小雨摇着头说:"妈妈,我不要那些贵的衣服和玩具了,就从叔叔这里买一条便宜点儿的裙子吧。你们挣钱太难了。"

小雨的妈妈是个教育女儿的有心人,生活中,很多妈妈总是苦口婆心地教育女儿:"女儿啊,你一定要省着花呀。妈妈每天出去工作,好辛苦啊。""女儿,妈妈挣钱不容易啊,你不要再买那么贵的衣服了。"其实,千言万语,都没有让女儿去亲自体会一下挣钱的艰辛效果来得好。

第二,带女儿体验节俭的生活。

无论男孩女孩,吃不得一点儿苦,都无法在未来社会上生存。随着生活水平的提高,现在的女孩生活越来越好了,她们从小过惯了衣食无忧的生活,不了解俭朴的生活是什么样,当然也不懂得勤俭节约的意义。那么,妈妈不妨给女儿上一堂体会贫穷的课,带她去体验一下困苦的生活,磨炼一下她的意志,锻炼一下她的性格,让她体味贫穷和生活的艰辛,这样女儿就会懂得勤俭节约,对现在的生活就知道珍惜了。

第三，妈妈应该以身作则，自己要有正确的消费观念，女孩耳濡目染，就能树立正确的消费观念和意识，勤俭节约的习惯就会养成。

总之，懂得勤俭节约、没有虚荣攀比心理的女孩才能在未来社会中摆正自己的位置，不为金钱和物质所囚禁，才能拥有健康、幸福的生活。

妈妈要告诉女孩"欲做事先做人"的道理

世事洞明皆学问，人情练达即文章。决定一个人能否成功的要素是多方面的，除了知识和能力以外，良好的做人与做事习惯也起着关键性的作用。良好的习惯能帮助一个人迅速地融入团体，最大化地发挥自身的能力，并借助团队的力量，从而更加容易地实现自己的目标和抱负。这就是欲做事、先做人的道理。

女孩喜欢通过沟通和交往来促进人际关系的和谐，以便寻找自我价值。因此，妈妈要根据女孩这一天性，从小培养女孩良好的做人和做事习惯：真诚待人，认真负责地履行对他人的承诺，拒绝做冷漠、自私、不会与人交往的小公主；让女孩学会做人，再学会做事，培养出一个做事有条有理、讲求效率、善于合作的女孩，不让拖沓低效的做事习惯成为女孩成长道路上的绊脚石，从而帮助孩子播种良好习惯和品质，收获美好未来。

女孩要想适应社会需要，与时俱进，就必须学会做人。而作为21世纪的妈妈，要想教育好自己的女儿，就必须树立正确的教育观念，掌握科学的教育方法。那么，妈妈到底该怎样培养女孩会做人的这一品质呢？具体来说，妈妈要做到以下几点，但其中最重要的就是身教。

第一，不要以成人的做人标准教育孩子。

家是孩子的第一所学校，女孩的成长需要一个良好的生长环境，良好的家庭环境对孩子起着重要的作用。良好的家庭环境并不是指家庭经济的富有，而是指妈妈为子女提供的良好的教育环境。妈妈是女孩的第一任教师，妈妈的言行、说话的语气和面部的表情神态、行为方式、生活作风、兴趣爱好、情感态度等都会直接影响孩子。

对人慷慨、受人欢迎的妈妈能够教育出一个会做人的女孩。可在教育过程中，许多妈妈不注意这些方面，总是以成人的思维习惯和标准要求孩子什么能干，什么不能干，甚至告诫孩子不能无缘无故送别人礼物，并且苛求对方的回报，这样必然会扭曲孩子与人交往的目的，扼杀孩子纯真的友谊。

曾经，有一个姑娘在一个富有的人家当保姆。一天，女主人的女儿发现保姆姐姐喜欢妈妈的粉色手套，就自作主张把手套送给了保姆。女主人回家后，很是生气，对女儿说："你要明白，不要把东西送给陌生人，她能给你什么？"

很明显，这个妈妈教育女儿的方式是错误的。人与人之间最重要的莫过于情感的连接，作为妈妈，如果教育女儿带有目的地与人交往，就只会把女儿教育成一个势利小人，孩子也交不到真正的朋友。

第二，要在诚实守信方面做女孩的表率。

当今世界，有些不良风气已经污染了孩子们的心灵，但我们的家庭教育一定要注意诚实守信，答应了女儿的事情一定要做到，万一做不到就要向孩子解释原因。现在的妈妈容易犯一种所谓德育虚伪性的错误，他们会要求女儿做诚实守信的人，可对自己的所言所行又不严格要求。须知，妈妈的身教比言传更为直接、重要。有些妈妈常常会不自觉地在孩子面前撒谎，孩子就觉得撒谎是对的，所以妈妈要做到诚实守信，即使在迫不得已的时候，至少做到不当着孩子的面撒谎。经过妈妈身教的女孩也会是个诚实守信的人。

第三，在真诚待人方面要做女孩的表率。

随着经济社会的发展，很多女孩都是独生女，她们是一家的中心，从小养成了唯我独尊的观念，不愿与他人分享，只知"人人为我"，不知"我为人人"。为纠正其观念行为，妈妈就要在平时的家庭生活中着力营造和谐的家庭氛围，做到家庭成员人人平等、互相尊重、平等待人，还要在社会生活中建立良好的人际关系，尊重他人，平等待人，学会与他人分享。

第四，在尊重他人方面做子女的表率。

为使女孩成人、成才，许多妈妈视女孩为自己的私有财产，"望女成凤"心切，对待孩子或溺爱姑息，或简单粗暴，这很容易使孩子产生不良的心理。妈妈首先要尊重女儿，努力创设家庭的民主氛围，这是一项应尽的义务。同时，不能一味讲家长权威，要注意和孩子进行思想交流与情感沟通。

以上这些品质都是女孩成功做人的前提，家庭教育的目的首先是"人的教育"，其次是在此基础上的"人才教育"，做人是第一步，会做人的女孩才能以健全的人格和完美的品质获得别人的喜爱，才能活得更加轻松、自在。

有公德意识，是女孩成才的前提

社会公德是指人类在长期社会生活实践中逐渐积累起来的、为社会公共生活所必需的、最简单、最起码的公共生活准则。在我国现代社会中，社会公德的主要内容为：文明礼貌、助人为乐、遵纪守法等。

女孩天生不调皮好动，安静，乐于与人合作，喜欢温柔可爱的东西，在对于礼貌以及别人的认可度上要求更高，更喜欢通过一些社会行为来让别人认可自己的价值。而作为妈妈，要想让女儿成为一个合格的，乃至优秀的社会人，就必须从小让女儿树立社会公德意识。

一个健康的家庭，是女孩终生受用的财富。在家庭中，夫妻关系、婆媳关系、兄弟姐妹关系等，对孩子性格品质的形成有很大的影响。因此，妈妈必须尊重、孝敬老人，对待兄弟姐妹要宽容和帮助，夫妻之间理解和信任，只有在这样的基础上，孩子才可能获得稳定、温暖的家庭幸福，并从中学习到关心与信任，也才能学会关心爱护别人。

那么，妈妈具体应该怎样培养女孩的社会公德意识呢？

第一，要教育女孩尊敬长辈。

首先要教育孩子见到长辈应主动打招呼，学会使用尊称和礼貌用语，懂得长幼有序；长辈、父母出门或回家要主动站起来，迎送，帮助递包，提醒带齐东西；听长辈讲话时要认真，不东张西望，不插嘴；与长辈谈话时要和气，讲礼貌，不要高喊大叫，外出或回家时要和妈妈打招呼，让孩子养成提前通知妈妈的习惯；听从长辈的教导时要虚心，并认真按长辈的教导去做，长辈批评时不顶撞、不任性，要养成虚心听取批评意见的习惯。妈妈对于正确的意见一定要坚持，不要孩子一闹就妥协，当然，妈妈也要注意批评的方式与方法，要求孩子遵守学校纪律，不让妈妈操心；让孩子在家里要干些力所能及的事，做到日常生活自理。

第二，从小培养孩子文明礼貌。

文明礼貌是中华民族的优秀传统，是人们在日常人际交往中应当共同遵守的道德准则。在女孩与人的互相交往中，和悦的语气、亲切的称呼、诚挚的态度等，这会使得女孩看起来更加友好，俗话说："良言一句三冬暖，恶语伤人六月寒。"因此，文明的谈吐和行为是女孩具有良好修养的表现，讲文明礼貌能促进女孩和别人之间的团结友爱，是沟通女孩与他人之间情感的道德桥梁。

培养女孩的社会公德意识，需要妈妈从日常生活中的细节入手，不要让女孩出言不逊、恶语伤人、失礼不道歉、无理凶三分，更不能做出骑车撞倒人后扬长而去，乘车争先恐后，在公共汽车上见老人或抱小孩的妇女不让座等行为。防微杜渐，是防止女孩出现不文明行为的最佳方法。

第三，从小培养女孩遵纪守法。

对孩子守纪、守信、守法的教育应从小抓起，有些妈妈总是不自觉地庇护自己的孩子，认为孩子小还不懂事，骂人、打人、偷东西、毁坏公物、随地大小便、扔垃圾、墙壁上乱涂乱画、霸道、自私等行为都不要紧，孩子大了自然会懂事，然而这些恶习日积月累，当孩子长大时，不但会给家庭带来痛苦，也会给社会带来灾难。

第四，从小培养孩子服务社会的责任心。

未来社会已经把是否能为社会服务作为判定人才的一大标准，女孩也必须有责任心。一个没有责任心的人，将会在他生活和工作的各种领域内面临同样的命运——不被接纳重用，从而让自己陷入任何集体都不喜欢的"怪圈"之中。

妈妈要在日常生活中培养孩子的责任心，女孩的大部分生活不是在学校就是在家庭，家庭因此成为培养孩子责任心的主要阵地之一。当女孩的责任心得到培养时，她们就会主动地帮助他人克服困难，主动地参与集体活动、公益事业，并逐步懂得服务社会是每个社会成员的责任。

要让女孩有责任心，妈妈就不能一味地宠爱你的小公主，她也需要经历一些生活的历练。首先，孩子的事，要尽量让孩子自己做，不要处处为孩子代劳，事事替孩子包办。这样并不是真正地爱护孩子，其后果就是剥夺了孩子的锻炼机会，使孩子缺乏独立生活和适应生活环境的能力。其次，要有意地让孩子参与劳动，让她们收获劳动的果实。让孩子做一些力所能及的事情，不仅能使孩子体验成功的喜悦，而且有助于培养孩子对家庭、对自己的责任心，劳动还能培养独立精神，锻炼顽强的意志，提高心理素质，使人养成良好的劳动习惯和吃苦耐劳的好品质。

一个眼里有国家和社会的女孩就不会是一个自私、狭隘的女孩，这样的女孩才不会活在自己的小世界里，会立志为国家和社会作贡献，长大后才会有出息。这才是真正眼界开阔、独立自主、有梦想的女孩，这种品质的获得将会使女孩受益终生。

谈吐优雅的女孩人见人爱

妈妈给予女孩的不仅是生命，还有人格力量、品质、修养等。一位出色的女性与良好的家庭教育是分不开的，正如塞德兹说过："人如同陶瓷器一样，小时候形成一生的雏形。幼儿时期就好比制造陶瓷器的黏土，给予什么样的教育就会形成什么样的雏形。"每个女孩都希望被周围的人喜欢，做到这一

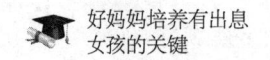

点，女孩就必须拥有优雅的谈吐。

谈吐优雅的女孩待人接物彬彬有礼、不卑不亢；谈吐优雅的女孩，时刻行为得体；谈吐优雅的女孩，不和妈妈顶嘴，不打断别人说话；谈吐优雅的女孩，能随时随地地体贴和照顾他人，尊敬和关心他人；谈吐优雅的女孩，总把"请"和"谢谢"挂在嘴边。总之，谈吐优雅不仅赋予了女孩柔性、大气、得体之美，更为女孩成长为淑女奠定了最强有力的基础。已经踏入社会的妈妈更是深深明白，举止优雅将会为长大后的女孩带来无穷的魅力。但在现实生活中，由于家庭教育中女孩修养教育的缺乏，很多女孩在谈吐上没有形成一种很好的习惯，失去了女孩本身应该有的淑女气质。

一位母亲道出了自己的忧愁："人家小姑娘穿得干干净净的，说话甜甜的，很讨人喜欢，但我女儿就是个'皮大王'，说话大喊大叫，把玩具弄得'身首异处'，喜欢和男孩子在一起疯，小裙子上总是脏兮兮的，我怎样才能培养出一个谈吐优雅的小淑女？"

如果一个女孩过于外向，尤其是在谈吐上毫无顾忌，处处尽显如男孩一般的淘气，这的确是让妈妈感到头疼的一件事情。如果妈妈顺其自然，那孩子势必会日益失去女孩子的风范，变得毫无优雅可言；如果妈妈严加管束，又极有可能会扼杀孩子的天性。那么，妈妈究竟应当怎样去约束女孩子不当的说话方式，一点一滴地培养起她们淑女般优雅的谈吐呢？

第一，妈妈要谈吐优雅，以身作则。

作为母亲，应该以一个有修养、谈吐优雅的女性形象来给女孩起到示范作用。妈妈要做优雅的好榜样，女孩子是妈妈的一面镜子，所以，培养女孩优雅的谈吐，更需要妈妈言传身教。

一位妈妈这样写道："别以为小孩什么事情都不懂，她可都看在眼里呢。有一次她冲我发脾气，我就说她'小姑娘不可以这么大声说话'，结果就听到她小声嘟囔：'妈妈和爸爸不开心的时候也这么大声说话的。'听到女儿这么说，从那以后，我尽量克制自己的急性子，暗自下决心要给她树立一个优雅妈妈的好榜样。"

无数事实证明，妈妈的一言一行对女儿的影响是巨大的，如果妈妈说话大嗓门，那女儿讲话也必然不能细声细语；妈妈说话无所顾忌，女儿自然也会大大咧咧。所以，要想培养出女孩优雅的谈吐，妈妈必须先做优雅女人。

第二，告诉女孩谈吐优雅的标准。

在日常生活中，妈妈不妨参照以下标准，对女孩提出合理正确的要求：

（1）妈妈要教育女儿，与人谈话的时候，要表现出对他人的尊重、理解和善意，要面带自然的微笑，千万不要出现随便剔牙、掏耳、挖鼻、搔痒、抠脚等不良习惯动作。

（2）在言谈措辞上，妈妈要让女儿养成使用文明礼貌用语的好习惯，如经常说"您好""谢谢""请""对不起""没关系"等。妈妈还应告诉女儿，沉默寡言、啰嗦、重复都是不正确的语言表达方式。需要注意的是，妈妈向孩子讲解优雅举止的标准时，不要总是用教训命令的口吻，而是要循循善诱、谆谆教导。当谈吐优雅成为孩子一种不自觉的习惯，孩子卓尔不凡的气质也就形成了。

第三，妈妈要多提示和表扬女孩。

孩子一些错误的语言往往出于考虑少，而不是有意冒犯。如果妈妈此时严厉斥责，制定规矩，往往会使孩子产生反感和抵触情绪。因此，想让孩子变得谈吐优雅，最好的方式就是提示和表扬。

妈妈可以制订一些家庭内部的基本原则，来引导孩子谈吐优雅，比如，如果你想说："你这个没教养的孩子，吃饭时不能大声说话！"可以换成这样说："我们家的规矩是吃饭时不能大声说话。"这样孩子比较容易接受，因为你是在说一种制度、一种行为，而不是在批评她。

谈吐优雅是一个女孩有修养和有气质的重要表现，谈吐好的女孩，能由内而外散发出一种馨香，妈妈如果在女儿还小的时候，就注重对其谈吐的培养，那么女孩长大成人之后，势必会成为一位高贵、文雅、知书达理的优秀女性。

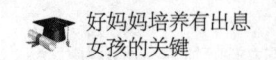

女孩助人为乐，妈妈要及时赞扬

天生的温柔善感使女孩具有母性的气息，同时也丰富了女孩的内心世界，因此，女孩比男孩更具有爱心，这也是女性魅力的一个重要特征。作为妈妈，要维护并发扬女孩的爱心、善心，这是使女孩任何时候面对任何人都能堂堂正正的根本，其中，助人为乐的精神也是妈妈应该培养女孩拥有的，这是需要妈妈用恰当的爱哺育出来的。

"助人为乐"这四个字，蕴含着人世间至真、至诚、至美的奇妙含义。助人为乐的女孩，由于使对方的困难得以解决，使别人的不便变为方便，所以女孩可以从帮助别人的过程中发现自己的生存价值，就会有一种成功的体验，正如歌德所说："你若要喜爱你的价值，你就得给人创造价值。"

我们深知，养育一个女孩很难，养育一个具有良好品质的女孩更是难上加难。像诚实、善良、仁爱和奉献这样的理念对于成长中的女孩而言是模糊而又难以掌握的，特别是孩子可能会从同学、朋友以及媒体那里得到相互矛盾、抵触的信息。那么，在这种复杂的环境下，妈妈怎样才能培育出一个助人为乐的女孩呢？

第一，当女孩还小的时候，要对孩子进行善恶对错的教育，让孩子形成正确的价值观。"种瓜得瓜，种豆得豆。"从小在孩子心灵的土地上，播下"助人为乐"的种子，长大后，她们就会像美丽的天使一样关心别人的疾苦，多为别人办好事，体验到人生的快乐；如果种下"自私自利"的种子，孩子长大后只会关心鼻子尖儿底下的丁点儿小事，怎么能有所作为，又怎么能获得快乐呢？

第二，让女孩经常参加一些慈善活动或者助人的社会实践活动，让女孩感知别人的疾苦。例如，让孩子参加志愿活动，或者打扫附近的公园，这类活动都能教会孩子助人为乐。

13岁的小丽是一名初一的女孩，家庭经济富裕，从没体会过生活的艰辛和困苦。一次，母亲在学校的号召下，把小丽送到一个山区的家庭"体验生活"。那家也有个小女孩，叫妮儿。

妮儿家的房子是用泥土和茅草建造的，屋里黑洞洞的，除了一张破旧的桌子，再没有一件像样的东西了；妮儿长得又瘦又小，个头比自己矮了一大截。为了挣学费，妮儿还常常去砖窑帮忙挑砖坯，一天只能挣1.2元。

看到这些，小丽的心里沉甸甸的。她掏出50元钱放在妮儿妈妈的手里，真诚地说："阿姨，以后我会帮助妮儿的。"

回来以后，小丽像变了一个人。她不再吵着要妈妈买新衣服了，也不再挑食和吃零食了。整整一个暑假，她没有吃一根冰棍，用省下来的300元钱买了文具和衣服，寄给了妮儿。

小丽就是个满怀爱心的人，能够随时发现别人的困难，并且能把帮助别人解决困难当作自己的责任。能够在生活中遇到这样的人，是一种幸福，而她这种品质的获得正是妈妈用心教育的结果。适当的生存体验是必要的，可以让女孩明白世界上还有许多不幸的人需要帮助，这有利于女孩形成正确的人格和品质。

第三，妈妈要主动参与到助人为乐的活动中来，给你的小公主树立榜样。

在生活中，妈妈的行动是女儿的一面镜子。妈妈以身作则，为女孩作出榜样，孩子耳濡目染，日久天长也会养成自己的行为习惯。如邻里之间互相关照；帮助孤寡老人的生活；心系灾区灾民，为灾区捐款捐物；单位同事遇到困难时给予帮助和关照；在公共汽车上给人让个座，这种教育的作用是潜移默化的，将会收到润物细无声的效果。

孩子爱帮助人、爱做好事，这是人类善良的本性所致，应当弘扬。但是现实生活中，由于很多妈妈成人后的部分经历并不适用于儿童，这反而极易对成长中的女孩造成不良的影响。

助人为乐是一个人思想境界的行为体现，是一种精神的升华。有名言说得好：关心他人，竭尽全力去帮助别人，会使人变得慷慨；关心别人的痛苦和不幸，设法去帮助别人减轻或消除痛苦和不幸，会使人变得高尚；时常为他人着想，会丰富自己的生活，增加自己的涵养。妈妈不仅承担着教育女孩成就学业的责任，还担负着传承中华文明、培养孩子健全人格的重任，教育和帮助女孩助人为乐，是每一个家庭义不容辞的责任。

心胸开阔，宽容待人的女孩运气不会差

人们常用"善解人意"来形容心胸宽广的女孩，这是女孩应该具备的一种美好的品质和美德，心胸宽广的女孩性情温和，能够处理好各种人际关系，能够很快地适应各种不同的环境，能够融洽地与人合作，充分发挥自己的潜能，这样的女孩人见人爱。

我国古代许多伟人都很重视宽容的品质。如孔子曾提出，一个真正的人要有宽容、恭敬、诚信、灵敏、慷慨等五德，他把宽容放在五德之首。先哲庄子认为，圣人应有包容天地、遍及天下的宽阔胸怀。近代民族英雄林则徐指出，"海纳百川，有容乃大"。一个人善于宽容，他的人格才会像海一样伟大。今天的社会更具有组织性和开放性，女孩更需要具有宽容的品质。在一个组织性强、生产社会化程度高的社会里，社会进步与个人事业的成功更需要人们相互合作，而合作要以宽容为基础。宽容是女孩与人交往、合作的"润滑剂"。

微微是个很听话的女孩，但就是爱告状，一点儿小事就去找老师，"老师，朋朋欺负我，他刚才把我撞倒了""老师，巧巧把水彩笔墨水洒到我的书上了，我的书都没法看了"等。

一天，同学们正在玩游戏，忽然，形形不小心踩了微微一脚。看到刚买的白球鞋上有了一个大大的黑脚印，微微生气地跑到形形的身旁，狠狠地回踩了她一脚。当老师质问微微为什么要这样做时，她却理直气壮地告诉老师：

"我妈妈说了,不能受别人的欺负,别人打我,我就要打别人。彤彤踩了我,我当然也要踩她。"

随着现在的社会开放性越来越明显,社会变化加速,新生事物层出不穷,社会价值取向出现了多元化的趋势,人们的个性也更加鲜明。但女孩不能失去其重要的品质——心胸宽广。从微微的话中,我们可以发现,妈妈的一言一行都是女孩效仿和学习的榜样,宽容的品质也需要妈妈的细心教导,宽容心对于女孩个性品质的发展以及良好人际关系的建立,都有着非常重要的意义。富有宽容心的孩子往往心地善良、性情温和、惹人喜爱、受人拥护。而缺乏宽容心的孩子,往往性情怪诞、易走极端、不易与人亲近。

因此,妈妈要想女孩学会宽容,培养孩子宽广的胸襟,就应该做到以下几点:

第一,妈妈要心胸宽广、以身示教。教育家马卡连柯曾指出,妈妈在开始教育自己的子女之前,首先应当检点自身行为。要想让孩子学会宽容,首先自己应有宽容的品质。如果妈妈本身心胸狭窄,无视他人的意见,习惯于将自己的意志强加于人,不给人改错的机会,为一点儿小事而争执不休,为一点儿小利而斤斤计较,孩子又怎么能学会宽容呢?

妈妈宽容大度、遇事不斤斤计较,与邻里、同事相处融洽,孩子就会学着妈妈的样子处理自己与同学之间的关系,也会变得宽容、和善。

第二,让女孩明白"人无完人"。妈妈应该让女儿明白,金无足赤,人无完人,每个人身上都会有缺点。和同学、朋友相处,没有必要求全责备,应该学会求同存异。对于朋友的缺点和不足,对于同学心情不好时所说的话和所做的事,没有必要斤斤计较,无须事事都摆个公平合理。多给人一分宽容和理解,同时也为自己带来一个好心境,使自己的个性更加完善。

第三,培养孩子善待他人的意识。孩子一旦学会善待他人,就学会了宽容别人,因为女孩已经有了一颗友善的心、宽容的心。那么,孩子自然而然也就会在日常生活中宽容他人了。

妈妈应该让女孩明白，他人是自己的影子，善待他人，也就是善待自己。对他人多一分理解和宽容，其实就是支持和帮助自己。

第四，用故事教育女孩学会宽容。故事是教育孩子的重要手段，国内外都有体现宽容品质的小故事，妈妈可以借此教育孩子。通过故事还能够教会孩子站在别人的立场、角度上考虑问题，有利于孩子去理解别人的想法与行为，让孩子对别人的痛苦感同身受，激起孩子的宽容、善良之心。

第五，眼界宽的人，胸怀也会宽广。妈妈不妨经常利用各种节假日，带孩子游览祖国的大好河山，这将使她们受益匪浅。在这一次次的游览中，女孩就能增长知识，开阔眼界，也便能拥有宽广的胸怀，也就很少会因为日常小事而烦恼了。

一个女孩，最重要的莫过于一份恬适淡雅的心态和善解人意的品质，这是培养女孩的重要标准。人非圣贤，孰能无过。妈妈要教育女孩学会宽容，和气待人，这样才能团结同学，营造愉快的生活和学习氛围。在以后人生的道路上才能以宽广的心胸消除许多无谓的矛盾，化干戈为玉帛，拥有良好的人际关系。

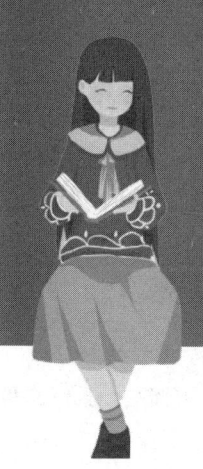

第06章
自我认知,妈妈要做女儿成长路上的引路人

女孩天生是敏感的,这是女孩的性别优势,同时也有一定的负面影响。女孩总是能够发现使生活变得更丰富的诀窍,但是首先,她要能够感受到温馨安宁。要知道,培养女孩要有别于男孩,最好的教育是顺势而为,妈妈在培养女孩时,应该依照女孩特有的优势和个性,进行引导和培育。不能把所有的女孩都变得如出一辙,否则,这个世界就变成了一片"灰色"。同时,如果不能让女孩认同自己的性别,那么对她的成长极其不利,也会影响其未来的恋爱和婚姻生活。只有充分认识到女性身上特有的性格优势,以及其所无法避免的性格缺陷,并根据社会对女孩的需要来进行培养,才能培养出优秀的女孩。

合理引导女孩从错误中成长

曾经有人说:"孩子是在犯错误中成长起来的,因此,要允许他们犯错误,要正确对待他们的错误……"女孩也一样,每个女孩都是在犯错误中成长起来的,她们有一个共同的心理特点,就是好奇心重,面对丰富多彩的现实生活,她们心中充满了各种疑团,对周围的一切都想探明个"究竟"。受好奇心的驱使,不管该做或不该做的事情,能做或不能做的事情,她们都要去探究一下,尝试一下,结果就犯错误了。而捷尔任斯基说:"拷打、严厉和惩罚永远不能作为一种影响儿童的心灵和良知的好办法,因为它们时常留给儿童的印象,就是成人的暴行。"暴力、责备是很多妈妈解决女孩犯错误的重要手段,目的是让孩子记住错误,可实际上,这些都对孩子的心灵成长产生了严重的负面影响。其实,女孩因其性别原因,有其特殊的教育方式,其较弱的生理和心理因素使女孩需要用温柔的方式引导,而不是用激烈的言辞甚至采取暴力手段。妈妈要明白的是,孩子犯错,重在帮助她改正错误,在错误中锻炼自己,惩罚并不是目的。

对于犯错误的女孩,挽救比"绳之以法"要重要得多。但在现实生活中,很多对待犯错误的女孩的挽救方法过于简单,常常有的孩子一念之差做错了事,马上就被贴上"坏孩子"的标签,甚至小题大做,使她在其他人面前抬不起头。

事实上,孩子犯错,妈妈应该创造条件让她认识到自己所犯的错误,并且给她改正错误的机会。假如把孩子"一棍子打死",女孩一旦辩解便会遭到惩罚,这样只会在孩子心里留下"弱者只能屈服于强者"的印象。使孩子产生自卑的心理，长期下去，即使有理也不申辩了，即使有改过的想法也磨灭了，这对培养孩子独立的人格并没有好处，甚至会把自己和女儿的关系逼上绝路。其实，女孩比男孩有更强烈的人格要求，妈妈不要由于惩罚女孩而忘记了尊重女孩，也不要忘记了惩罚的目的。

那么，作为妈妈，应该怎样帮助孩子认识错误，并从错误中锻炼自己呢？

第一，帮女儿找出犯错误的原因。

古人曰："人非圣贤，孰能无过。"其实"圣贤"也是会犯错误的，更何况是涉世未深、各方面都不成熟的女孩呢？这句富有哲理的话告诉妈妈，孩子犯错是不可避免的，不要大惊小怪，应正确对待，弄清楚孩子犯错误的原因。从年龄的角度出发，孩子有犯错误的"权利"。她们由于年龄小，经验不足，辨别能力差，缺乏抵制能力和自制能力，所以她们经常犯错误。除此之外，错误的模仿也是她们犯错误的一个原因。她们往往不自觉地模仿了成人的一些错误言行，从而使得自己犯了错误。当然，孩子犯错误除了有其年龄特点外，还有教育上的不善。

第二，动之以情，晓之以理。

情是女孩接受教育的前提，妈妈让女孩感受到爱，女孩才会以同样的情感回报妈妈。女孩需要妈妈的关爱，这对于她们成长如雨露和阳光，一句简单的问候，一声简单的生日祝福，都会给她们带来温暖，给她们增添信心和勇气，种种爱的言行都会感化女孩的心灵。

第三，适当表扬，鼓励女孩的自信。

有些错误是无心之失，当孩子犯错误时，妈妈不要一味地批评，也不要怒视受批评者。不妨大方一点儿，"恩赐"我们的表扬，让女孩去感受更多的温暖，去体会更多的快乐。

总之，女孩都还处在成长阶段，偶尔会犯下错误，妈妈应该允许她犯错误，重要的是女孩犯了错，妈妈应该怎样帮她们认识错误，并能从中汲取教训而自觉地改正错误。另外，女孩有其自身的不同的特点，妈妈要用特别的方式教育女孩，也就是对女孩的教育需要注重技巧和方法，惩罚绝不是目的，给女

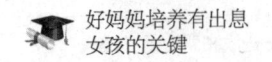

孩改正错误的机会，使她们回到健康发展的轨道上来，这才是妈妈教育的根本目的。

女孩天生敏感，妈妈别用简单的说教来教育

女孩本身具有男孩无法比拟的性格特征，比如沉静细腻，这些是女性所特有的财富，使女孩免于粗心浮躁，但这有时也会成为女孩的性格缺陷。女孩生性敏感，很容易因为外界的干扰而受到伤害，这就需要妈妈的悉心呵护，即使女孩犯了错误，也不宜进行简单的否定、说教甚至抨击，而应在不伤害女孩感情的基础上，进行恰当的引导，帮助她认清实质，把握正确的发展方向。

小丫生活在一个幸福美满的家庭，家里的经济条件优越。父母的文化程度虽然不高，但在教育子女方面有自己的一套方法，特别是她的妈妈，和女儿就像朋友。小学时，小丫也总喜欢把班里的事情告诉妈妈，和妈妈说悄悄话，家庭氛围十分和谐。可是，自从进了中学，小丫在家的话渐渐少了，一到家就把房间门一关，半天也不出来。妈妈想要和她聊聊天、说说话，她总是借故离开。她的妈妈很纳闷，难道是女儿长大了，想要拥有自己的心灵空间？后来，又有新的情况出现了，好几个晚上，小丫总会接到同学的电话，而且一聊就是半天，还得避开妈妈的视线。小丫的家离学校很近，步行到校只需10分钟时间，平时她都是7点左右才出门，可是近来，她都是一大清早就出门，妈妈问起原因，她说和同学约好了早点儿到校上早读，还强调是老师要求的。她的妈妈感到女儿不对劲儿，但又束手无策。后来，妈妈到学校咨询了老师，从老师那里了解到，近来经常有高年级的同学来找小丫，而且上下学的路上总有一个男孩与她同行。妈妈似乎明白了，可能小丫在情感方面产生了波动，出现了早恋倾向。

小丫的妈妈是个有心人，没有对孩子劈头盖脸地询问，而是通过其他渠道获得了小丫早恋的信息。其实，女孩早恋，就是女孩与男孩之间单纯的友情与来自成人的恋爱情感发生碰撞的产物，是对于成人世界的一种模仿，二者有着本质的区别。可能很多妈妈对待此问题都是大惊小怪，生怕孩子会误入歧途，一发不可收拾，然后采取说教的方式，希望女孩迷途知返，但妈妈忽视的是，女孩脸皮薄、敏感，对其进行严厉的批评和指责，会让女孩无地自容，这往往比置之不理更伤害她。而小丫妈妈的做法是：

一个学期以来，通过妈妈与小丫的多次谈心、疏导，又在她父亲的理解和帮助下，她懂得了"喜欢"与"早恋"的区别。其实，她对那个高年级男生只是有好感，只是喜欢而已。为此，父母建议她把那个高年级男生当作一般的朋友来相处，并使她真正认识到中学生在心理、生理、经济等方面都不具备恋爱的条件，把自己的精力完全投入自己的学习、生活中去，才是现在应该做的。她开始调整自己的精神状态，积极地投入学习中，几次月考的成绩虽不尽如人意，但她还是继续努力，终于在期末考试中取得了可喜的进步。现在全家人又成了无话不谈的好朋友。

早恋只是女孩容易犯的一个错误，其实，无论遇到什么情况，作为妈妈，都应该用独特的方式教育女孩，而不应用简单的说教方式，毕竟，她不是"臭小子"，不宜大大咧咧地接受妈妈的说教。因此，妈妈在日常生活中必须做到：

第一，体贴。女孩的情感需求比较重，家庭作为一个唯一的、可供精神寄托的场所，必须满足她们生理和心理的两方面需求，在没有疾病的情况下，她们可以省吃俭用，但精神必须是愉快的，心理上也是需要满足的。不能单纯地用金钱去填补女孩精神上的空虚。

第二，理解。妈妈必须认识到，任何人犯错误都不是故意的，更何况是一个未长成大人的女孩，她们什么事情都处于认知阶段，不管遇到什么事情，都需要好说好商量，而不应该动不动就斥责、恐吓，甚至不惜伤害女孩的自尊。

第三，尊重。妈妈在教育自己的女儿时，必须首先认定她是"人"，既然是人，就应该充分尊重她的"人格"，不应该用简单粗暴和强制命令的方式来代替细致入微的思想工作。

第四，引导。孩子犯错误并不可怕，可怕的是认识不到自己的错误，导致无法主动改正。对待孩子的错误，要以鼓励和引导为主，惩罚为辅。

总之，妈妈在教育女孩的时候，要切记她是个女孩，是需要你疼爱的小公主，她害羞、敏感，不能一刀切地用教育男孩的方式来培养，给孩子信任、鼓励，才能培养一个健康向上的女孩！

妈妈要尊重女孩的主见

女孩生性柔弱，但女孩也是强者，妈妈绝不能为自己的女儿贴上"弱者"的标签，不给孩子自己决定和处理问题的权利，否则长此以往，女孩就会要么没有主见，要么叛逆，这都不是妈妈所希望的。那么，妈妈就需要根据女孩的特性，不仅要让女孩拥有优越的生活，还要锻炼女孩的精神内涵，这并不是要把女孩培养成一个阳刚的"假小子"，而是让她成为一个刚柔并济的新时代女性，以便适应以后竞争激烈的社会生活。

女孩乖巧、听话，但并不是妈妈的私有物，如果一味地希望孩子样样服从自己的安排，结果将会适得其反。妈妈在言行上的教育矛盾常让孩子无所适从。因此，妈妈在学习家庭教育理论知识的同时，还要善于反思、总结，不断提高自己的素养，转变自己的旧观念，把理论灵活地运用到实践中去，这样才能有好的效果。对于妈妈来说，培养女孩是一个漫长而艰巨的任务，也可以说是一生的课题。总之，妈妈不要总是强迫女孩听话，把什么都强加给她。

第一，不要把你的观点强加给女孩。你越是将自己的观点和价值观强加给她，她拒绝接受它们的可能性就越大，即便一个较小的孩子也是如此。

因此，妈妈要想办法弄清女孩的想法。比如，你可以这样说："我喜欢这个想法，但重要的是你如何看待。"而不是说："太棒了，你不这样认为吗？"或者可以说："你觉得那个电视节目怎么样？"而不是说："那个电视节目简直就是胡说八道。"

第二，不要把你的兴趣和爱好强加给女孩。这是个性差异使然，很多有所成就的妈妈都希望自己的女儿能继承自己的兴趣、爱好，按照为她规划的人生走下去。古有"子承父业""书香门第"之说，生活中这样的例子也是数不胜数：医生的女儿当护士，教授的女儿当老师……

妈妈总把女孩放在自己的掌心，而她却渴望拥有一片自己的天空。"独裁"只会把你的女儿从你身边拉走。中国的妈妈们总会不自觉地为孩子包办代替，操心受累之余还会不无委屈地说一句："我什么都替她想到了，能做的我都做了，我容易吗？"可是对于这一"替"，不但女孩不领情，有时反而加剧了她们的逆反心理，尤其是进入了青春期的女孩，她们更愿意固守自己的意志而拒绝妈妈的好心安排。

其实，妈妈的良苦用心可想而知，但这实际上有没有尊重孩子的兴趣，让孩子挑选自己感兴趣的东西呢？妈妈应该注意发现和培养女孩的兴趣。

大多数妈妈都会认为，女儿还小，很多事情她们不懂，妈妈的选择对她们才更有好处。殊不知，女儿虽小，但也有着鲜活的思想和情感，有自己的兴趣。只有从兴趣出发，孩子才能自主地学习，才能学得又快又好，才能享受到学习的乐趣。

第三，当女儿产生情绪或者做出你不能容忍的事后，向她说明你的想法和感受。当你感到愤怒、难过或者沮丧时，请说出来并向她说明原因，别只是大喊大叫。

一位哲学家曾说："孩子们需要榜样，而不是批评家。"如果你的女儿看见你为她作出表率，那么，她也会学习安心而自在地发现并表达自己的思想和感受。以下是妈妈需要做到的：

（1）如果你能接纳你女儿的感受，那么，她也会学着接纳、控制、喜欢

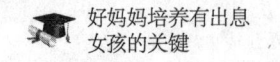

或者应对自己的感受。

（2）帮助她提出要求。比如对她说："我知道你现在很难过，给你一个拥抱，你会舒服一点儿吗？"这能让她放松身心，从而表达自己的想法："我觉得有点委屈，我想和你聊聊天。"

（3）女儿嫉妒、愤怒、沮丧以及怨恨的感受，应该是可以接受的，而不应该遭到惩罚或拒绝，但要告诉女儿："虽然可以有这样的感受，但不可因为你的感受而去伤害他人。"

（4）给出一些不完整的句子，让女儿去补充完成。比如"当……的时候，我最高兴。""当生气的时候，我……""当……的时候，我觉得自己非常重要。""当……的时候，我感到情绪沮丧。""当……的时候，我往往选择放弃。""当受到斥责时，我想……"

妈妈告诉女孩要对自己的行为和情绪负责。你可以说，"当……的时候，我感到非常生气"，而不要说，"是你惹得我生气"。当你的女儿话语粗暴时，让她换一个词来表达她试图表达的内容。总之，妈妈应该接受女孩的所有情绪，然后帮助她排解。毕竟，女孩应该有自己的感受和情绪，这才是一个有血有肉、真性情的女孩，而不是作为你的附属而存在。

女孩似乎永远是妈妈身边听话的小丫头，但妈妈绝不可认为女孩就没有自己的想法和主见。爱护你的小丫头，就别让她做你的附属，而是应该给她一个自由的生活氛围，这就要求妈妈通过洞察她的内心世界，用商量、引导、激励的语气和她交流，站在孩子的角度去考虑，而不是将自己的意志强加给孩子。也不要因为女儿尚小，就用命令的口吻和孩子说话，不能随意斥责或辱骂孩子，更不要去嘲弄、讽刺孩子。如果妈妈用自己过多的欲望，让女孩生活在同一个情绪平台之上，使其不能自由地表达自己无尽的欢乐或者深沉的忧伤，只会让女孩感到压抑。

教育女孩，绝对不能口不择言

生活中，妈妈不经意说出的话，有时会对女孩造成巨大的伤害，甚至偶尔以玩笑形式说出的生硬的话都会让女孩产生自我怀疑，而她们自己却浑然不知。因为女孩要比男孩更加敏感，尤其是批评，时常数落孩子，不仅会让她们怀疑自己，而且会让她因为觉得辜负了妈妈而感到羞愧和内疚。女孩如果没能让他人满意，就会认为自己令人失望了，觉得自己是一个受人嫌弃的弱者，尽管她可能将这种情绪深藏不露。

所以，教育女孩，妈妈不能口不择言，有些话该说，而有些话绝不能说。

周日，在动物园门前，有这样一幕：一家三口在逛公园，一个小女孩正想将手里的水瓶扔掉，妈妈赶紧拦住她说："别，前面有人，看见要罚款的。"走了一会儿，妈妈又说："这儿没人，可以扔了。"小女孩就顺手把水瓶扔在了草坪上。其实，往前再走几步就有垃圾桶。

这位妈妈其实无意中给女孩传递了这样的信息：只要不让人看见就可以随便扔垃圾。更严重的是，因为大人的教育不当，女孩不能养成维护公共场所卫生的好习惯，而且还使她学会了当面一套、背后一套的作风。

小美小学快毕业了，她向妈妈要钱想买些纪念品送给要好的同学作纪念。本来这是非常纯真的感情，很难得。可她的妈妈说："留什么纪念，现在谁也不知道将来会是怎样，一转眼大家都各走各的了，等长大后再说吧。"

妈妈这些话的言下之意是，只有用得着的人才有互相利用的价值，没有来往价值的人就不存在什么友谊。

由此，可以联想到平时很多妈妈在女孩面前乱说话造成的后果。比如，过年时，一些妈妈一边带女孩给老师送礼，一边埋怨："这年头，办什么事都得给点儿好处。老师也一样，不送礼你就会吃亏的，我们送老师一点儿礼物，他以后会对你好点儿的，知道吗？"又如，有的妈妈常对女孩说："学习好不好没有多大关系，如今硕士博士都找不到工作呢。读那么多的书也不见得能赚大钱，尤其是女孩，还是学点儿赚钱的本领，嫁个金龟婿，这样日子才会过得好。"别的孩子穿上了名牌衣服，孩子回家有羡慕之情，妈妈一听就理直气壮地说："我们去买更好更贵的，再怎么也不能让孩子在别人面前丢面子呀！"

妈妈们尽管是不经意地随口说出来的，但实际上是有意地"启发"了孩子，给孩子传递了一些不健康的信息或一些畸形的教育观念。虽然每位妈妈都不是完美无缺的，但在女孩面前说话时，应该留点儿神，不要口不择言。

妈妈给了女孩生命，并给了她优越的生活条件，可很多时候，却可能只因为几句话给她的人格和品质造成了不良的影响，妈妈不要忽视自己的负面"榜样"作用。女孩生性敏感，对妈妈的话会关注更多，容易形成自己的思考。

在许多情况下，妈妈心中的自私、世俗、虚荣会"遗传"给下一代。也许有些妈妈会认为，自己说这些话是想让女孩多了解社会，免得以后吃亏上当。这初衷当然没错，但孩子在未成年时还很单纯，她们还没完全步入社会之前，要尽量让她们保留些纯真的天性，给她们的心灵留一片净土，才会使她们过得无忧无虑，健康快乐。当以后长大成人走向社会时，她们会用自己的眼光去看待社会、看待周围的人，用自己的方式去适应社会。妈妈不应该让孩子从小就变得那么俗气、小气和狭隘，那样对她们的成长是没有任何好处的。

另外，也有很多妈妈是富养物质，穷养精神，当孩子犯错时，恶语相加，使得女孩幼小的心灵蒙上了阴影。妈妈要时刻记住，她是一个女孩子，要用特殊的方式培养，一定要注意批评女孩的方式：

（1）不要使用羞辱性语言，比如："我真希望压根儿就没有生过你""你怎么这么不争气"等。

（2）批评、取笑、挖苦、嘲笑、大吼大叫和责备，都是对女孩的贬低，会伤害她的感情，让女孩感到羞愧，贬损其人格，使女孩受到伤害，让孩子觉得丢脸。这些会削弱女孩的独立性、主动性和士气，任何时候都应该避免。

（3）妈妈要明白，一次消极批评造成的伤害，至少需要四次"赞赏"来弥合。

（4）应把"你不能做什么"改为"你可以做什么"。

总之，妈妈要记住，女孩不同于男孩，不可以"粗暴"待之，不忽视日常生活中的语言对其带来的负面影响，给予她健康的生活氛围，她才会形成积极的人格和良好的品质，才会健康地成长。

女孩自尊心强，不要在人前批评她

有这样一句话："孩子未来的成功与幸福取决于我们营造的环境，而不是所教授的技能。"女孩的成长需要一个安定、温馨、健康的生活环境，给女孩这样的一个成长环境正是妈妈的责任。女孩生性敏感，有很强的自尊心，有更强的羞耻心，妈妈不要当着外人的面批评你的女儿。

英国教育家洛克曾说过："妈妈不宣扬子女的过错，则子女对自己的名誉就越看重，他们觉得自己是有名誉的人，因而会更小心地去维持别人对自己的好评；若是你当众宣布他们的过失，使其无地自容，他们便会失望，他们越觉得自己的名誉已经受了打击，则他们设法维持别人的好评的心思也就越加淡薄。"实际情况正如洛克所述，尤其是女孩，如若被妈妈当众揭短，甚至被揭开心灵上的"伤疤"，那么女孩自尊、自爱的心理防线就会被击溃，甚至会产生以丑为美的变态心理。

有位妈妈在谈到教育女孩的心得时说：

"有一天晚上，我和女儿在玩学习机，她突然仰起小脸凑到我的脸前说：'妈妈我给你说件事，你以后就只在我面前说我不听话，别在人家面前说我不听话。'说完，她就亲了亲我的脸，不好意思地对着我笑。看着女儿，我的心里突然好酸，心情也久久无法平静，她才只有4岁啊。4岁的孩子希望妈妈只在她的面前说她、批评她，而不要在别人面前说她不听话，孩子的心是多么敏感脆弱。我心疼地抱起女儿，向她保证以后不在别人面前说她不听话了。"

的确，孩子都是渴望得到表扬的，尤其是生性敏感的女孩，她们也有自尊心。妈妈应该时刻注意保护好女孩的自尊心，不要在众人面前说她们的缺点，也不要在众人面前批评她们。因为孩子的每一个行为都是有原因的，这是由孩子的心理和生理发展特点所决定的。也许这些原因在成人看来是微不足道的，但在孩子的眼里却是很严重的事情，不了解原因当众批评她，非但不能解决问题，反而会使问题变得更糟，使孩子产生逆反心理和抵触情绪，导致对孩子的教育很难继续下去。

生活中，很多妈妈看到女儿犯错误就急了，批评起来既不考虑言辞，也不注意地点和场所，就大声地呵斥孩子，甚至在很多人的面前动手打孩子。有些妈妈更过分，只要女儿犯了一点儿小错，就新账旧账和孩子一起算，把往年陈芝麻烂谷子的事情一股脑地加以指责，以为这样的强刺激对孩子会起到较深刻的教育作用。而妈妈忘记的是，你在教育的是一个女孩，你当众批评她，会严重伤害她的自尊，让她以后在人前抬不起头来。其实，你越发火孩子越反感，不但不能取得应有的教育效果，反而让你的女儿对你产生严重的反感情绪，这时候，你就失去了教育孩子的"武器"——妈妈的威严。严重的，很多女孩会产生逆反情绪，甚至会反抗妈妈的教育。

那么，很多妈妈就产生了疑问："女孩自尊心强，难道就不能批评了吗？"答案当然是"不"，但是批评女孩也要掌握一定的原则和技巧，不能当众批评。妈妈应注意一些方式方法：

第一，低声。

妈妈应以低于平常说话的声音批评女孩，"低而有力"的声音，会引起孩子的注意，也容易使孩子注意倾听你说的话，这种低声的"冷处理"，往往比大声训斥的效果要好。

第二，沉默。

女孩一旦做错了事，总担心妈妈会责备她，如果正如她所想的，孩子反而会有一种"如释重负"的感觉，对批评和自己所犯过错也就不以为然了；相反，如果妈妈保持沉默，她的心里反而会紧张，会感到"不自在"，进而反省自己的错误。

第三，暗示。

女孩犯有过失，如果妈妈能心平气和地启发她，不直接批评她的过失，孩子会很快明白妈妈的用意，愿意接受妈妈的批评和教育，而且这样做也保护了孩子的自尊心。

第四，换个立场。

当女孩惹了麻烦遭到妈妈的责骂时，往往会把责任推到他人身上，以逃避妈妈的责骂。此时最有效的方法，是当女孩强辩是别人的过错、跟自己没关系时，妈妈可以耐心地询问她"如果你是那个人，你会怎么解释？"这就会使女孩思考"如果自己是别人，该说些什么"，从而使女孩发现自己也有过错，并促使她反省自己把所有责任推到他人身上的错误。

第五，适时适度。

这正如以上所说的，不能当众批评，而应"私下解决"，这样才能让女孩明白妈妈的良苦用心，比如，孩子考试成绩不理想时，妈妈和女孩坐下来一起分析一下考试失利的原因，提醒女孩以后避免此类情况的发生，就比批评孩子不用功、上课不认真效果要好得多。批评教育孩子，最好一次解决一个问题，不要几个问题一起批评，让孩子无所适从；也不要翻"历史旧账"，使孩子惶恐不安；更不要一有机会就零敲碎打地数落，结果使孩子内心麻木，最终无动于衷。

女孩乖巧，也会犯错误，妈妈批评一下固然重要，但是妈妈在批评女孩的时候，千万要注意不要在人多的地方对她横眉立目地训斥指责，这会伤害女孩的自尊，在一定的场合也要给足女孩面子。尊重女孩，保护她的面子，掌握批评的方式方法，是教育女孩的一大要求，这对孩子的成长来说是极为重要的。

女孩犯错，妈妈要先给她解释的机会

女孩天生喜欢安静和沉默，喜欢给人美好，喜欢聆听，喜欢与人和平共处，但同时又很敏感和娇弱，容易被别人的误解伤害，这就需要妈妈给女孩一个健康祥和的生活环境。因此，妈妈不要一看到孩子做了不顺自己心意的事情，就劈头盖脸地斥责女孩。不管什么时候、什么事情，一定要首先给女孩解释的机会，让孩子把事情的经过说清楚，然后再下结论，这才是尊重女孩的表现。

秀雅是一家外资企业的部门经理，她有个很可爱的女儿，但她工作非常忙，有时候根本顾不上照顾自己的孩子。于是，星期天的时候，她就把女儿的姥姥从农村接过来，一是让老人在这里帮忙照顾一下孩子，二是也让自己的妈妈享受一下城里的生活。

秀雅的女儿很懂事，自从姥姥来了以后，怕姥姥闷，每天都带姥姥出去散步，还用自己的零用钱给姥姥买鲜花。姥姥高兴地逢人便说："我活了60多岁了，还是头一次收到别人送的花呢！"

一天，秀雅下班刚进门，听到房间里有"汪汪"的叫声，推门一看，一只活蹦乱跳的小狗正在房间里乱窜。忙碌了一天的秀雅，看到家里杂乱的样子，不免心烦意乱，张口就训斥女儿："马上就考初中了，还弄这些东西干吗？乱死了！"女儿正要向她解释什么，她却不容分说地继续呵斥孩子："给我扔出去！不用解释！我不想听！"说完，就要去抓那只小狗。这时，女儿的眼泪"唰"地流了出来，她好像想说什么，但什么也没说，一转身回到自己房间，把门重重地关上了。

秀雅很生气，刚想追过去再训女儿，妈妈对秀雅说："你别骂孩子了，这是孩子给我买的，她怕我在家寂寞，就买了一只小狗来陪我。孩子都是出于好心，你要是不喜欢，可以好好和孩子说，把它送给别人就可以了，不要再骂孩子了。"

秀雅很后悔地推开女儿的房门，看到女儿正趴在床上哭。她拍着女儿的肩膀说："妈妈错了，妈妈不该不听你的解释，以后妈妈会改的。"

现实生活中常常会发生这样的情况：女孩犯了一个小错，妈妈单凭自己了解的情况对女孩的行为作出评价和责备，当女孩申辩和解释的时候，妈妈就会气上加气，心想："你犯了错还狡辩？"于是，对女孩大喊一声："住口！"妈妈忘记了自己在训斥的是一个女孩，是一个需要呵护的对象，妈妈不妨想想一个女孩这个时候该有多么委屈，即使事后你因为冤枉了女儿而向她道歉，但对她的伤害仍然无法弥补。

有调查结果显示，"住口"两个字，是孩子们最不愿意听到妈妈说的话之一，可以说，女孩应该更有这样的感受。剥夺了孩子解释的权利，也就是剥夺了孩子的感受。妈妈可以站在一个女孩的角度想象一下，如果有人对你说，"你无权有那样的感受，你更无权解释"，你或许会大发雷霆。当女儿被剥夺了感受的权利时，她们也会感到难过。女孩作为独具个性的人，在成长过程中，感受和思想起着同样重要的作用。当女儿在尝试解释的时候，妈妈拒绝听她的感受，就是在拒绝她本身。

批评对于女孩来说，是一种必需教育手段。及时的批评可以纠正错误；恰当的批评可以使她认识错误，改过自新；严厉的批评可以使她猛醒而悬崖勒马……在社会生活中，批评是修正和协调人与人之间、人与社会之间关系，帮助他人改正缺点错误的重要手段，是必不可少的，但妈妈一定要给娇弱的女孩一个解释的机会，接纳孩子的感受，这才是正确的教育方法。她们由于不成熟、自我约束力差、自我纠错能力差，所以在成长过程中会做出一些不尽如人意的事，但有些事情孩子是出于善意，妈妈不能不问缘由就采取批评的手段，想把孩子"骂"醒，这是不明智的做法。尤其是处于青春期阶段的女孩，由于她们的逆反心理，明明没错也不解释。如果大人们再不及时修正自己的教育策略，形成与女孩对立的局面，那么，和女儿之间的误会就会越来越深。那些经常被喝令"你不用解释"的女孩，就会渐渐地放弃为自己辩解的权利。她们背负着很多委屈，一个人默默承受，而这样的负担可能会造成严重的心理问题。

因此，多听听女孩的解释，多从一个女孩的角度考虑问题，让你的女儿有辩解和申诉的机会，这不仅仅是妈妈理解尊重女孩的体现，更是孩子应得到的基本权利，也是保证孩子身心健康必不可少的一个环节。当妈妈认为孩子做错了事情时，不要急于作出判断和结论，而要首先倾听女儿的解释。你可以说："好吧，和妈妈说说当时的情况。"当女孩对一件你曾经认为错误的事情作出合情合理的解释时，你应该说："原来你有自己的想法，妈妈明白了！"

总之，妈妈应该根据女孩特有的性别差异，用不同于教育男孩的方式教育女孩，这样才会培养出一个优秀、健康的女孩。

妈妈要保护女孩的自尊心

隐私，是每个人藏在心里、不愿意告诉他人的秘密。每个人都会有自己的隐私，成长中的女孩也不例外。随着女孩年龄的增长，她们的生活领域、知识、情感都逐渐丰富起来，自我意识、自尊意识也在不断增强，女孩所特有的一些隐私急需妈妈的保护。很多妈妈认为女儿是自己的孩子，孩子不存在什么隐私，更没有意识到他们的女儿正在长大，忽略了女孩应该有自己的秘密，总认为自己可以无所顾忌地进入女孩的世界、随意闯入女孩的"隐私地带"，甚至粗暴干涉，私拆女儿的信件、监听电话、偷看日记等。妈妈要明白，每个女孩都有自己的自尊心，尊重女孩的隐私是保护孩子自尊心的开始，这也是在为女孩的成长打下基础。

丽丽是某校一名初二女生。有一天，她正走在上学的路上，突然间，她想起了昨天晚上的作业忘记带了，于是急忙又掉头往家跑。当她掏出钥匙打开家门时，看到妈妈正从自己的房间里出来，脸上带着不自然的表情。丽丽走进自己房间去拿作业本，推开房门，她愣住了，她看到自己书桌的抽屉全部敞开着，自己的日记本、同学们送的生日礼物及贺卡等全胡乱地堆在桌子上。

丽丽非常生气地质问妈妈："你为什么翻我的抽屉，随便动我的东西？"

没想到妈妈却比她还生气："怎么了？当妈妈的看看女儿的东西还有

第06章
自我认知，妈妈要做女儿成长路上的引路人

错吗？"

"可是你应该经过我的允许才能看哪！"丽丽很愤怒地回答妈妈。

"小孩子有什么允许不允许的，别忘了我是你妈妈，好了，快去上学吧！"妈妈毫不在乎地对丽丽说。

生活中，这样的场景并不少见，在妈妈看来，她们偷看女儿的日记、检查信件、追查电话、查阅短信、翻查书包等，这些都是小事。她们认为女儿毕竟还小，她们这样做是在关心孩子，一切都是为了孩子的成长，防止孩子走入歧途，以免孩子一步走错，步步皆错。妈妈看似关心女孩，而有的孩子虽然可能会了解妈妈的本意是出于对自己的爱护，但是妈妈的这些行为，都是对子女的不信任、不尊重，伤害了子女的自尊心，让孩子们感到不舒服。于是，这些孩子对妈妈偷看他们的日记、私拆她们的信件很反感，甚至有些女孩总爱给自己使用的抽屉上锁。

其实，女孩的自尊心远比男孩强，尤其是到了一定年龄阶段的女孩，更渴望独立和别人的尊重。随着年龄的增长，她们对妈妈的依赖减少，独立意识逐渐增强，成人化倾向明显，希望别人尊重她们的自主性、独立性；同时，随着生活领域的扩大，接收知识信息的增多，她们的内心变得敏感起来，情感变得细腻起来，会产生许多想法，原先敞开的心扉渐渐关闭，有了自己的隐私；而且，即使她们有不少话想说，但观点已经与妈妈有所不同了，于是，她们与妈妈的沟通就会明显减少，转而把自己的"秘密"和内心的感受都倾诉在日记里。

这时，如果妈妈采取强硬和蛮横的手段，想方设法去查看孩子的日记、偷听孩子的电话等，无视孩子的感受，随意侵犯孩子的隐私，则会带来许多负面影响，甚至产生意想不到的后果。因此，妈妈必须明白以下几点：

第一，要把孩子看成一个独立的人，而不是你的附属品或者专有物品。孩子是独立的人，不是物，她有自己的感情，有她自己的行为方式和独立人格，也有她的隐私。

第二，女孩还是未成年人。正是因为没有长大，她们的一切都还处于可塑期，如果女孩从小就受到尊重，她便能懂得自尊，也会懂得怎样去尊重别人。那些对人彬彬有礼的女孩，肯定是在家里很受尊重的孩子；那些蛮不讲理、行为粗野的女孩，在家里往往也得不到他人的尊重，甚至常常受到伤害。所以，如果你想把自己的女儿培养成为高素质的人、有教养的人，那么，你首先要做这样的人。要让孩子尊重你，妈妈便应当先尊重孩子，尊重女孩的隐私。

第三，妈妈要用心观察女孩的成长。毕竟女孩的成长和男孩是有所不同的，进入青春期的女孩，对成人的封闭性、对伙伴的开放性更显得突出，会有更多的秘密，这些"小大人"似的女孩尤其需要得到尊重。

的确，作为一个敏感脆弱的女孩，最不能伤害的就是自尊。在家庭中建立亲情乐园，要从尊重女孩开始，从尊重女孩的隐私开始，让女孩有一种被保护、被尊重的感觉。被幸福感包围的女孩，才会长成一个心理健康、懂得尊重的好女孩。

第07章
眼界开阔，妈妈要培养女孩从小学会抵挡诱惑

所谓自律，就是指严格要求自己，约束自己。包括自我要求、自我表扬、自我批评，以及对自身行为的调控、要求、约束、激励和规范。现在社会需要全面发展的人才，女孩要想适应社会的需要，必须从小养成良好的行为习惯，而这些都是以自律为基础的。因而，女孩自制能力的增强与培养是家庭教育重中之重的任务。可是，现代社会中，很多女孩都是独生子女，优越性相当强，所有的人、事都以她们个人为中心，她们很容易养成自私自利的坏习惯，自律能力明显弱化。因此，妈妈要理解富养女孩的真正含义，明白培养女孩的自制力是富足女孩精神的重要方面，是女孩成长成才的重要保障，不能忽视。

见识广的女孩，有更出色的判断力

培养有出息的女孩包括让女孩增长见识，增强抗诱惑能力，如此一来，等她到了花一样的年龄时，就不易被各种浮世的繁华和虚荣所诱惑。因为见多了，也就不易受到诱惑。懂得美，懂得欣赏，懂得辨别，也就会懂得自我保护。

见多识广的女孩，了解尘世中的一些"规则"，有一定的阅世能力，所以能拨开重重迷雾，始终坚守自己，独立、有主见、明智，有自己的原则。能拒绝诱惑的女孩懂得自尊自爱，有良好的品格，而相反，女孩一些不良心理动机的形成，都与她们所受的"诱惑"有关。一旦不堪物质诱惑，就可能伸手索要、设法谋取，甚而还会采取不正当的手段。

因此，增强女孩的阅世能力至关重要。那么，妈妈应该怎样培养孩子的阅世能力呢？

第一，要让女孩懂得一个道理：人的要求应受客观条件的制约。在丰富的物质世界面前，应考虑家庭经济条件，并让其养成勤俭节约、艰苦奋斗的优良作风，不能盲目地用物质来衡量生活的各个方面。

第二，加强孩子心理素质方面的培养。一般来说，抗诱惑力差的女孩，自主意识缺乏，自控能力不足，对此，妈妈要帮助孩子提高分辨能力，认识到贪欲的危害性，同时要设法控制孩子的占有欲，提高其克制能力，做到不为外物所动，并采用转移法将孩子的欲望转移到积极有益的活动上来。孩子抗诱惑力的培养，不是一蹴而就的，需要长时间的培养。在平时，妈妈既要承认和满足孩子的一些要求，又要控制某些不良欲望的无限膨胀，提高孩子对金钱物质的抗诱惑力，让孩子们健康成长。

第07章
眼界开阔，妈妈要培养女孩从小学会抵挡诱惑

第三，提高女孩子抗诱惑能力的最好方法，就是一定要增长她的见识。只有掌握的知识增加了、判断能力提高了，她才不会被外界的种种所诱惑。

一位经常带女儿出去旅行的母亲，曾这样介绍自己的经验：

女儿5岁那年，我在书店买了本介绍全国旅游景点的书，每到一个地方旅行之前，我都会先看一遍书，然后用儿童容易理解的语言讲给女儿听，让她先有个初步的认识和了解。我想，让孩子带着问题去旅游，不但锻炼了身体，同时也可以增长地理、历史等各方面的知识，这对孩子的身心健康和语言及写作能力都有好处。

随着孩子年龄的增长，我除了让她准备该带的物品外，还专门给她准备了一个能背着的小旅行包。其实，我也考虑到了孩子所能承受的重量，里面并没有装很多的东西，目的只是让她有合作的意识和责任意识。

当我们在旅途中遇到不认识的路时，我会坐在一边请女儿来帮忙问路，这样孩子在旅行中不仅增长了许多的知识，还学会了与人交往，学会了如何处理问题。

的确，旅行其实也是一个增长见识、增长能力的过程。因此，有条件的妈妈可以多带你的小公主出去走走、看看，并可以像故事中的那位母亲一样，多给女儿一些锻炼的机会。在旅行过程中，也让孩子有了更多动手动脑的机会，比起整天在家徒然想象，更能使其具有行动能力，让孩子通过旅行了解更多的文化，看到更宽广的世界。

第四，多看书，首先要培养孩子的阅读兴趣。你不妨先挑一些大画面的、简单的、好玩儿的故事给她看，吸引她的注意力。等她天天缠着你要听故事时，你就成功了，那时你就可以让她看知识性较强的书了。

第五，多陪女孩做游戏，游戏玩得好的孩子对事情总是有足够的好奇心，会更聪明。

第六，多跟女儿聊聊天，比如，走在路上看到一辆消防车，你可以说：

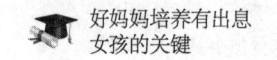

"宝贝，这是消防车，漂亮吧。"时间久了，她就会记住。看到其他车时，她会问你："妈妈，这是什么车？"孩子都有很强的求知欲。

一个女孩，最重要的是有健康的心态、温柔贤惠的性格、干净健康的身体。而要做到这些，就必须让女孩学会拒绝诱惑，就必须让生性敏感的女孩尽量生活在一种无忧无虑的环境中，要尽量满足她的生活要求，让她发现生活的美好，然后她才会用欢愉阳光的心态来面对世界，因为精致、无忧无虑、优越的生活就像一剂强效的免疫针，使她日后会对抗诱惑、明辨真伪，成为知情识趣、优雅美丽的女子。

有主见的女孩，有更强的自我控制力

任何人都有欲望，成长中的女孩也不例外，人的欲望是无限的，控制欲望是自制力的一种，而控制自己的欲望，是从小就要学习的。否则，年龄越大，越难控制。培养孩子控制欲望的能力，就要让她变成一个有主见的女孩，因为一个有主见的女孩，能明白什么是自己真正想要的，在欲望面前，能有独立的思考能力，也就能拒之于千里之外。

很多时候，妈妈很宠爱女孩，对女孩的要求百依百顺。哪怕女孩要天上的星星，都恨不得找到一个可以登天的梯子上去摘几颗下来。可是，这样对待女孩真的是对她好吗？答案是否定的。妈妈一次次地满足女孩，从不对女孩的欲望加以控制，以致女孩有了欲望，就会不择手段地要达到。这种教育方法是危险的，在未来纷繁变化的社会中，女孩只有找准自己的位置，明白什么是欲望，什么是陷阱，才能真正了解自己，不致犯下无法挽回的错误。

帮助女孩控制欲望，父母应该从小就教育孩子在欲望面前有主见。成长期尤其是学龄前的女孩很多是以自我为中心的，妈妈如果不能体察她们的内心世界，不注意尊重她们的自主要求，一味地按照自己的想法为她们规定一个学习和生活的模式，孩子的依赖性就会越来越强。这样的孩子长大后，很可能会是一个优柔寡断、遇事毫无主见的人，更难以抵挡得了泛滥的欲望。那么，在日常生活中，妈妈应如何注意培养一个有主见的女孩呢？

第一，给女孩表达意愿的机会。

相当一部分妈妈害怕女孩走错路，习惯于事事为女儿作出决定，而从不征求女儿的意见；一旦女孩不遵从，就大加责备。其实，女孩也有自己的想法，妈妈在任何时候都要注意让孩子充分表达自己的意愿。

而最重要的是，培养女孩的主见，控制女孩的欲望，一定要从物质上做起。比如，在购买东西时，要告诉孩子，不能买的东西，就一定不会买给她，不能因为孩子的任性就满足孩子，要告诉孩子，有些时候，想要的东西，不一定就非要得到，有些欲望是不能满足的。同时，她的东西尽可能让她自己选，小女孩都有自己的一些兴趣和爱好，不过，妈妈最后还是要把关的。如果女孩选的东西太贵，就要告诉她，这个太贵了，我们没有必要买这个价位的。孩子就知道要换一个便宜点儿的。

第二，用启发式的话语代替命令。

很多妈妈在要求女儿做事时，往往喜欢使用命令句式，她们以为，女孩天生是听话的，应该由别人来决定她的一切，如"就这样做吧""你该去干……了"。而这种语气会让女孩觉得妈妈是说一不二的，自己是在被强迫做事，即使做了心里也不高兴。

妈妈不妨将命令式语气改为启发式语气，如"这件事怎样做更好呢""你是否该去干……了"，这种表达方式会让女孩感觉到妈妈对自己的尊重，从而引发女孩独立思考，按自己的意志主动处理好事情。

第三，耐心倾听孩子讲话。

耐心倾听女孩讲的每一句话，鼓励并引导女孩自由地表达思想，既体现了妈妈对女孩的尊重，同时也能有效地培养女孩的自主性。具体来说，妈妈可从以下几个方面加以注意：

（1）静听女孩的"唠叨"。女孩大都喜欢唠唠叨叨地讲她见到的一些人或事，妈妈千万不要嫌女孩啰嗦和麻烦，因为这种"唠叨"恰好是孩子自主意识的体现,是她试图向成人表达她对这个世界的看法的一种方式。因此,妈妈不仅要静听女孩的"唠叨",还要鼓励女孩多"唠叨"。

(2)勿抢孩子的"话头"。不少妈妈在听女儿讲话时,有时会觉得她的语句、用词不够成熟,喜欢抢过孩子的"话头"来说,这样做无疑是剥夺了女孩说话的机会,同时也会让孩子对以后的表达失去信心。

因此,在女孩想说话的时候,即使她词不达意,妈妈也应让女孩用自己的语言把意思表达出来,而不能抢做孩子的"代言人"。

(3)留意女孩给你的报告。妈妈可随时随地提醒女孩注意观察事物,给她探索的机会,观察之后,还应问一问她看见了些什么,学会了些什么。当她向你"报告"时,妈妈应该留意倾听并适时点拨,这会令女孩得到鼓舞,从而更愿意向你"报告"她的所见所闻。

(4)聆听孩子的"辩解"。当女孩为自己所做的事与妈妈争辩时,妈妈千万不能斥责女孩"顶嘴",要给女孩充分的辩解机会;当她与他人争吵时,妈妈也不需要立即去调解纠纷,可以在旁聆听和观察,看她说话是否合理,是否有条理。这对培养孩子独立思考的能力大有益处,以后她在诱惑面前,也能以同样冷静的头脑面对。

第四,随时随地自主选择。

妈妈对女孩子自主选择的尊重,可以随时随地体现在最简单的日常生活中:

(1)自主地吃。在不影响她饮食均衡的情况下,妈妈可以让女孩自己选择吃什么。例如,在吃水果时,妈妈不必强迫孩子今天吃苹果,明天吃香蕉,而可以让孩子自己挑选。

(2)自主地穿。女孩天生喜欢美丽的衣服,这是女人的天性。妈妈带女孩外出玩耍时,在保证安全、健康的前提下,可以让她自己决定穿什么衣服,切忌随自己喜好而不顾她的感受。

(3)自主地玩。不少女孩在玩游戏时,并不想让成人教给她们游戏规则,更愿意自己决定游戏的方式,并体验其中的乐趣。妈妈可让女孩自己选择玩具和玩的方法,这样做可以极大地增强她的自主意识,帮助她成为一个有主见的人。

作为女孩，情商应是第一位，智商培养应是第二位。妈妈要想女儿有主见，能在未来的社会中及时控制住自己的欲望，就要培养女孩有主见，在日常生活的点点滴滴中慢慢引导。总之，妈妈要记住，一个有主见的女孩更能控制住自己的欲望，更有自制力。

有修养的女孩，不做脾气的奴隶

古人云："富贵多淑女，纨绔少伟男。"这句话的意思是说，富贵环境下成长起来的女子气质温婉而美好。女孩因为天生感情细腻，有着注重细节、注重人与人之间的关系的天性，在物质和思想富足的条件下，才不易受外界的影响，培养出从容优雅的气质。因此，在对待女孩时，妈妈就应该拿出更多的关爱与呵护，适时地满足女孩对细腻感情的需要，并不断丰富女孩的思想，开阔女孩的眼界，培养女孩知书达理的女性气质和品质。

一个女孩最珍贵的品质莫过于一个平和的心态，一份温婉的气质，反过来，脾气好的女孩才是有修养的表现。作为妈妈，培养女孩良好的脾气，比用服装和打扮来美化她，要具备更高一层的精神境界。一个脾气暴躁的女孩，很难想象她有什么温柔与美好。几乎所有的女性都渴望自己在性格和外表方面，对别人具有更大的吸引力。女孩天生是公主，优秀的女孩，需要妈妈的精心培育。女孩需要丰富其气质精神，这样才能温柔贤惠、高雅睿智。那么，妈妈该怎么样通过培养孩子的良好修养来达到控制孩子脾气的目的呢？

第一，让女孩多看书、多思考。一个女孩的修养不是一两个月就可以改变的，这需要长时间的修养和熏陶。比如，很多女孩读完大学，很久没见的人都说她变了一个样，其实就是校园生活熏陶出来的，多读书总有好处，实践出真知。还有一点就是，想成为什么人，就和什么人交朋友，妈妈要让女孩远离

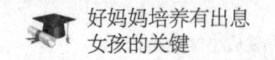

一些思想品行低下的不良人士。

第二，给女孩一个好的生活环境，好的生活环境和好的心态，才能培养出女孩好的修养。

第三，增强孩子的阅历。不一样的环境会造就不一样的人，一个女孩的阅历、学识、对自己的了解程度，都对修养有一定的影响。

第四，让女孩学会控制自己的情绪。情绪自控能力的强弱是女孩自制力的重要方面，而要提高女孩的自控能力，妈妈要做到以下几点：

（1）让孩子学会宁静。帮助女儿寻找放松的方式和途径，鼓励她运用这些方法放松自己，特别是在她放学后或者一段时间以来非常活跃之时——这些时候，她可能认为自己很难"着陆"。

（2）不要让那些喜欢一个人独处的女孩，随着时间的流逝而变得离群索居。注意观察她可能出现的任何"孤独"征兆。

（3）如果你的女儿用太多的时间独处，建议她参加某个体育社团、社交俱乐部或青年团体。

（4）女孩忌妒、愤怒、沮丧以及怨恨的感受，妈妈应当尽量包容，而不应该惩罚或拒绝。虽然可以有这样的感受，但不能因此而伤害他人。这时候，妈妈可以帮助她提出她的需求。

（5）给每个较小的孩子配备一本感受日志，让她们在固定（或者自由）的时间里，写下她们对作品、学校、事件或人物的反应。

（6）情绪表达需要特别的词汇。女孩们必须知道她们可以选用哪些词语来表达自己的感受，如果这种信息以恰当的方式告知她们，她们会非常乐意拓展自己的语汇，以替代那些咒骂性的语言。

一个人的修养必然会带来气质上的变化，所以，妈妈如果希望自己的女儿成为一个仪态端庄、充满自信、步姿优美、意气风发、充满自信的女性，成为一个最能吸引别人的女孩，就要让女孩学会管理自己的情绪，而这除了穿着得体、说话有分寸之外，更要不断提高女孩的知识水平、品德修养，不断丰富她们的人生阅历。

妈妈要引导女孩丰富精神世界，避免其沉迷网络

沉迷网络的女孩，大多处于青春期。沉迷网络，其实只是一个表象，网络仅是一个载体，问题的本质在于家庭是否在女孩的成长中注入了正确的成长因子。如果妈妈的教育出了问题，网络也好，游戏机也好，甚至体育运动、唱歌都有可能让女孩沉迷。丰富的精神世界是女孩健康成长的保证，而空虚的家庭生活则会让女孩试图寻找其他方式来填补自己的精神世界，而网络就成为她们的首选。

在教育女孩的过程中，重要的是全方位细心地关注孩子生活、学习中的真正需要，尊重她们，真诚地关心她们，让她们信任你，像朋友一样交往。其实，不仅是对待女孩沉迷网络这件事，对待孩子成长中的其他问题也同样如此，有富足的精神世界，女孩才能更自信、更坚强、更聪明、更优秀、更健康，才能彻底改变不良行为和习惯，从而使她们树立正确的世界观、人生观和价值观。

一位女大学生的作息时间表如下所示：白天上课；18：00，去网吧玩网络游戏、聊天；20：00，晚饭在网吧叫外卖；通宵上网，第二天早上9：00回宿舍休息……

这位女大学生几乎把所有的空余时间都拿来上网，并拒绝参加同学聚会和活动。大约两个月之后，她发现自己思维跟不上同学的节奏，脑子里想的都是上网的事情，遇到事情会首先想到的是找网络中的男朋友解决，她开始感到不适应现实生活，陷入了深深的焦虑之中。

其实，这样的现象在生活中并不少见，为什么这些女孩对网络如此着迷呢？原因只有一个，就是精神世界的空虚。而解决这一问题，就必须从家庭的角度，给女孩一个充实、富足的精神生活，另外，妈妈要明白的是，妈妈和女儿之间的关系，是长期建立起来的，因此，丰富孩子的家庭生活需要长期的努

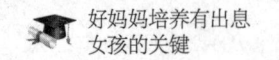

力。具体来说，妈妈可以做到以下几点：

第一，引导孩子读书。

妈妈往往会把自己的读书兴趣和习惯传递给女孩，孩子会在潜移默化中受到影响。美好的亲子阅读时光和互动，不仅能让女孩自由地发问、思考，而且能增进亲子感情。妈妈对书中内容的讲解，会给女儿留下深刻的印象。

第二，让女孩在游戏中学知识。

每个孩子都不喜欢枯燥的学习形式，妈妈和她一起游戏，就能够在欢乐的气氛中把知识传递给女孩，当然，这种游戏只适合年龄尚小的女孩，游戏最好是可以动手、交流的活动。

第三，多带孩子出去走走。

有人说，读万卷书，不如行万里路。其实，哪一样都很重要。女孩的日常读书是一个持续的过程，而女孩小的时候对大自然的欣赏、对民俗风情的理解以及对另一环境里人们生活状态的认识，都会对女孩未来的生活和职业选择产生影响。

第四，让女孩学会多探索，多记忆。

（1）采用多种方式让女孩探索。孩子的记忆力是超过妈妈想象的，她们在眼睛看、耳朵听的同时，还在积极思考。所以，妈妈可以通过各种方式让孩子在知识的海洋中探索。

（2）营造与女儿的亲密时光。女孩越大，越渴望与妈妈有交流，只是很多妈妈忽视了孩子的这种需要。

（3）全面看待女孩的"坏"习惯。孩子不是完美的，总是会有这样那样的"毛病"。比如，喜欢接话茬儿。如果妈妈完全禁止她，要她闭嘴，这在一定程度上会影响她的积极性。妈妈只有及时教导她如何正确表达自己的看法，她才会更好地发挥自己的优点。

第五，让孩子努力学习科学文化知识。

学习始终是必要的，女孩子如果想要进步，想要紧跟时代的步伐，想要超凡脱俗，就必须努力学习。可是女孩的大脑不同于男孩，女孩对于学习的适应性也不同于男孩。研究表明，女孩更擅长有时限规定的任务，她们喜欢用感性来理解所学习的知识，妈妈对于这一点要有个清醒的认识，据此来培育孩子的自主学习能力。

第六，丰富孩子的课余生活。

女孩细腻、心灵手巧，妈妈可以根据女孩的这一特性，培养孩子的一些爱好，比如，培养她的鉴赏能力，陪她读书，让她听名家的琴曲，这对孩子的性格修养、丰富孩子的精神世界都大有裨益。

第七，通过各种方式让女孩了解到现代网络的利与弊。妈妈要明白，把女孩和网络隔离开是一种不明智的做法，正确教育与引导才是合理的。

女孩的成长期，正是世界观、人生观和价值观的形成期，好奇心强、自制力弱，极易受到不良思想的冲击。网络既是一个信息的宝库，也是一个信息的垃圾场，各种信息混杂，对女孩的成长极有影响。妈妈要意识到这个问题，通过富养女孩，丰富女孩的精神世界，让女孩懂得沉迷网络的危害，女孩自然就能远离网络带来的弊端，健康向上地成长。

培养心思细腻的女孩，学习做事更注重细节

细心、安静、敏感、温柔是女孩的特性，当男孩们还在为写不好字而着急时，女孩已经初显心灵手巧的潜能了。细心的她们需要积极的引导，才能把这种细心转化为一种习惯，形成一种自制力，从而克服马虎的坏习惯，妈妈要记住：所有孩子的优秀品行都不是从天上掉下来的，而是通过适当环境条件培养出来的。应正确地引导女孩细心的天性，有自制力的女孩无论在什么时候，都能专心致志，这是一个人成功的重要素质之一，这样女孩在长大成人之后，才能更有品位地生活。

女孩粗心大概是很多妈妈头疼的普遍问题之一。女孩粗心的形成受众多因素影响，其中有气质因素，有些女孩对感觉刺激的敏感性较差，而注意力又

容易受干扰；也有知觉习惯的因素，对知觉对象的反映不完整、分辨不精细；还有兴趣的因素，对感兴趣的事情比较仔细，对不感兴趣的事情马马虎虎等。而最重要的原因是妈妈在日常生活中的教育。拿学习来说，一些妈妈从女孩入学开始就对女儿的学习大包大揽，做作业似乎成了妈妈的事。女孩也就在不知不觉中养成了一些不良的学习习惯，从此对自己的作业毫不负责。等到了高年级，妈妈突然放手的时候，就会发现孩子的作业差得让人揪心。长此以往，女孩的学习能力就会变差，离开了大人就不会学习。最令人伤脑筋的是，孩子的粗心会变成一种行为方式，演变成凡事都冒冒失失、粗枝大叶，成为真正的"马大哈"。粗心的女孩往往是动手快于动脑，事先缺乏仔细的观察和全面的思考。这一情况随着女孩子认知能力的提高会有所改善。但对已经形成粗心习惯的女孩，则要对她们进行耐心的、细致的指导，帮助她们形成新的知觉、思维和行为的模式。

纠正孩子马虎、粗心的习惯，是一件细致的、艰难的、经常反复性的工作，需要妈妈高度的责任心和耐心，不可急躁，更不可以责骂。因为被骂得情绪紧张、兴致全无的女孩只会变得更加粗心。那么，妈妈该怎样做才能让女孩心思细腻，而不是粗心大意呢？

第一，培养女孩良好的知觉辨别能力。

如向孩子提供"找相同点"和"找不同点"的图画，让女孩去发现各种细节上的变化，培养她仔细观察、仔细比较的能力，并要求她把比较的结果用语言大声地讲出来，以强化知觉的活动。这种活动随时随地都可以进行，哪怕是看到树叶上的一只小虫，也可以让她去仔细看看，虫子身上有几个花斑、几条腿等。

第二，培养女孩从不同角度去观察和思考的能力。

年幼的女孩思维缺乏可逆性，难以从不同的角度考虑同一问题，需要成人具体指导。如将两根等长的棒子前后错开放在孩子面前，问她哪一根长。有的女孩会认为上面一根更长，有的女孩则认为下面一根长。这时，你可以引导你的女儿换一个视角看这两根棒子。说上面一根长的孩子是因为她只注意到棒子左端的情况，若让她同时再看看右端的情况，结论就变了；说下面一根长的情况则相反，孩子只注意到右端的差异，而忽视了左端，为此，妈妈要让她们学会全面观察。

第三，教会孩子清理大脑的方法。

比如收拾书桌。收拾书桌是为了集中自己的注意力，同时也可以清理大脑。让女孩经常收拾书桌，慢慢就会有一个形象的类比，她就会觉得自己的大脑也像一个书桌一样。这种方法尤其适合女孩的学习。大脑是一个屏幕，那里面也堆放着很多东西，需要按时清理。

第四，妈妈应该设法为女孩提供一个安静的学习生活环境。

拿学习来说，孩子的家庭学习环境十分重要。如果她们在学习过程中，经常受到电视机、音响和来访客人的干扰，那么注意力就会被分散。另外，很多妈妈自己在看电视、玩计算机，却要求女儿认真做作业。喧闹的打牌声、交谈声和音响无疑是对孩子薄弱意志力的一种严酷考验。因此，要使孩子在学习过程中专心致志，妈妈应该为她们提供良好的条件，这一点相当重要。

第五，对女孩感官的训练。

比如说视力和听力，可以训练女孩在一段时间内专注于一个目标，而不被其他的图像所转移，也可以训练女孩在一段时间内集中聆听嘈杂环境中的一种声音。妈妈也可以让孩子尝试着在整个世界中只感觉太阳的存在或者只感觉月亮的存在，或者只感觉周围空气的温度。这种感官上的专心训练是进行注意力训练的有效技术手段。

以上只是让孩子在学习上克服马虎、养成细心的习惯，但孩子粗心的毛病不是只出现在学习上，也有很多表现在家庭生活中。例如，孩子在吃饭的时候要专心，不要多讲话；游戏的时候，不要一会儿玩这，一会儿玩那；看电视的时候，不要乱调频道。有句话叫"于细微处见精神"，妈妈必须从女孩的生活细节入手，严格训练女孩事事专心的良好习惯，这样才能根治孩子的粗心大意。

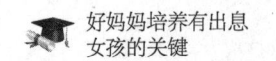

培养独立女孩，能干的女孩更优秀

在新时代中，女性的地位有了一定的变化，女性在社会上开始有了举足轻重的地位。所以妈妈不仅要从女性应该具有的特质出发，培养女孩的修养和气质，还要结合新时代的要求，从小注重培养女孩的独立能力，将女孩培养成一个既温柔细腻，又独立自主的新女性，使其在之后的人生道路上最大限度地发挥自己的作用和能力。而懒散是独立的大敌，克服女孩懒散的弱点，让孩子形成一种自制力，是女孩成功成才的必备素质。

有人说，做女孩的妈妈有三种境界，第一种是忙于育女之术，第二种是长于育女之术，第三种是精于育女之术。随着境界的不断提升和时代日新月异，妈妈也应该从"育女工"上升到了"育女专家"。那么，妈妈该怎样才能教育出一个独立、勤快，从不懒散的女孩呢？

第一，做"懒"妈妈。

很多妈妈认为，一定要让女孩吃好的、穿好的、住好的，让孩子无须担心生活中的任何事情，认为这就是有品位的生活。其实不然，妈妈在适当的时间，给自己放放假，懒一点儿，对于成长中的女孩未尝不是一件好事。

女儿出生后，立即成了全家人的宝贝。爷爷、奶奶、外公、外婆四个人围着小家伙一个人转：女儿要喝奶，奶奶拿奶粉，爷爷拿奶瓶，外公倒水，外婆拿毛巾，那个忙碌劲儿，不亚于太后用膳。我明白，教育孩子不能过分迁就她。但是，面对老人的高度热情，我无法将这一理念落实。

女儿2岁时，什么都想抢着干，爷爷奶奶虽然很高兴，但总是一个劲儿地说："宝宝还小，宝宝还小！奶奶来做！"就这样，小家伙的工作热情就中途夭折了。

过年的时候，老人都回老家了，这下我可就没有了后顾之忧，决定将"懒"进行到底。

女儿想吃饼干，嚷着要我去拿。我说："你自己去，妈妈也累了。"她不肯，我们僵持着，最终她还是妥协了，自己跑去拿饼干。

我们一家三口逛街回来，三个人都很累了，我和她爸爸躺到床上，对宝宝说："我们累了，休息一会儿，你要是不休息就到客厅看会儿电视吧。"女儿不高兴，可我们都闭上了眼睛，她想了想，就走出了房间，还没忘帮我们把房间门关上。我和老公相视一笑，我悄悄地爬起来，跟在她后面看。小家伙打开冰箱，拿了酸奶，打开电视，一个人坐在沙发上，有模有样地看了起来。

在我们的"懒惰"下，女儿一个春节竟学会了穿、脱衣裤，拿筷子吃饭，自己收拾玩具，这让我惊喜不已。

从这位"懒妈妈"的育女真经中，很多妈妈应该有所启发。忙碌的育女工作，让很多妈妈投入了百分百的精力，疲惫之余，却仍感力不从心，收效甚微。可见，百分百勤快的妈妈不一定就能得到百分百的结果。与其这样，倒不如给自己喘口气，放个小假，偷个小懒，做不了百分百的勤快妈妈，那就换个角色，做"懒"一点儿的妈妈，也许还会有意外的收获。

做"懒"妈妈绝不是为了享清闲、图自在，而是用心良苦。通过谈话、讲故事等方式，使孩子知道"自己的事情自己做"的道理。女孩的未来要靠自己去开创，独立生活的能力是一个人生存和发展的基本前提。而这种能力不是天生的，是从小培养和锻炼出来的。妈妈如果将女孩的一切都包办，等于剥夺了女孩认识世界、锻炼自我的机会。做个"懒"妈妈是为女孩着想，是对女孩的成长负责。

第二，互相表达爱，让女孩感知爱，从而主动去劳动。

爱是相互的，女孩需要爱，妈妈当然也需要。女孩生活优越，全然不知道妈妈工作的辛苦和感受，怎么可能知道爸爸妈妈也需要爱呢？默默奉献的妈妈，也要学会时常偷偷懒。周末的早上，不妨睡一个懒觉，冲着女儿适当发发牢骚："妈妈真辛苦啊，为了你，妈妈少睡了好多个懒觉。"

妈妈有自己的工作和生活空间，自己偷偷懒，其实就是给了女孩培养独立能力的机会，女孩也才不会把妈妈的付出看成理所当然。衣食住行是孩子自

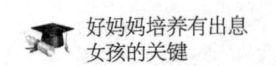

己的事，妈妈不是"全职保姆"！

当然，缺失的爱可能会让女孩不适应，产生情绪。爸爸妈妈一定要时常把爱说出口，让女孩扭转"妈妈不爱我了"的稚嫩想法。

第三，多信任，少埋怨。

有很多勤快妈妈什么事都想替女孩做，但做的时候却很不情愿，一边做一边责怪女孩："你怎么什么都不会做？妈妈像你这么大的时候都能上街打酱油了。"要不就历数："你看谁谁真聪明，还会自己吃饭呢。"事情没做完，女孩早就被数落得垂头丧气，信心全无，更不用说放手让女孩自己去做的话又会衍生出多少牢骚。

孩子的年纪尚小，出现失误在所难免，妈妈不能用大人的准则去限制她，相信你的女儿，她有自己的问题处理方案。多给女孩鼓励和表扬，少点儿指责和埋怨，她就会多点儿信心和满足。

总之，独立的女孩有自制力，能克服懒散的毛病，而妈妈要想培养一个勤快、能干、独立的女孩，就要适时地放手，就要"勤快孩子懒自己"，这才能培养出勤快、独立、能干的女孩。

懂事的女孩懂分寸，绝不任性妄为

所谓任性，是指一个人不顾客观环境和条件，自己想说什么就说什么，想做什么就做什么，不听从别人的劝告和阻拦，由着性子来。孩子的任性是一种不良性格特征的苗头，对孩子的成长很不利。而女孩天生是听话懂事的，是妈妈眼中的乖宝贝，可是现代社会，很多妈妈总是会满足孩子的一切要求，正是这种有求必应，让女孩养成了任性的坏毛病。

培养女孩的目的，就是要让孩子能为妈妈考虑、乖巧懂事，这种女孩，无论在家庭、学校还是未来走上社会，都会成为别人青睐的对象。

常听有些妈妈诉苦："我们那孩子真任性。这不，告诉她天还冷，别那么早穿裙子,她就连哭带闹,真没辙!""我们这个更要命,犯起性子来,说也不听,打也不成。要不,就给你哭得闭过气去!"

孩子为什么任性呢?有多少父母和长辈,家中的"小公主"刚一哭闹耍性子,就心软了,就"投降"了,就百依百顺了。等到女孩已经"掌握"了哭闹这个能要挟大人的"法宝",知道哭闹可以"摆布"大人达到自己的目的,便会无休止地恶性发展下去,当妈妈想要纠正孩子的任性时,才发现是自己教会了她任性。因此,克服孩子的任性,让女孩懂事乖巧,必须从小开始。

有位妈妈就有这样的烦恼:

我的女儿小远今年刚满了4岁,聪明可爱,因为我们工作很忙,长期是爷爷奶奶带的,但我们每天都抽时间过去和她玩。因为她小时候没吃过母乳,体弱多病,所以爷爷奶奶对她照顾很周到,总是担心她生病。小远2岁就上了幼儿园,学习和适应能力都不错,就是性格上比较任性,有点儿我行我素。比如上公开课,老师点她发言,其实她会,但就是不配合,还跟我们说,不想让这么多不认识的人听她念课文,听老师说平时她发言蛮配合的,学习效果也可以。每个新学期开学,小远总是要哭个几次,不过我们走后,她上课做游戏都很积极,她也很喜欢上幼儿园。

这个暑假,她进步很大,喜欢学习生字,玩玩具也有耐心,但是就是性格更加任性,有时可以说固执,比如看电视时有哪个节目上的字她不认识,而家里人又没有及时看到告诉她,就开始吵闹,吵得很厉害,我们每次都通过转移注意力的方式让她安静下来,次数多了真是觉得累。跟她讲过多次道理,幼儿园的小朋友不认识字是很正常的,可当时答应得好好的,过后又是一样着急吵闹。到底怎么办才能让她别任性了?

一个懂事的女孩就不会常常任性,那么,妈妈应该怎样教育出一个懂事的女儿呢?这是一个长期的过程。

第一，防患于未然。

女孩的任性表现，一般也有规律。妈妈可以留意观察孩子在什么情况下容易犯拧劲儿，当这种情况临近时，你可以事先向女儿提出要求，和女儿"约法三章"。比如，女儿和祖辈在一起容易任性，那么你带她到姥姥家去之前，就该先打打"预防针"。

第二，说理引导。

女孩有些要求是无理的或不能满足的，你可以赶紧利用童话、故事等方式，给孩子讲清道理，这常常可以避免孩子任性，但一定要及时。

第三，激将夸奖。

小孩子好胜，更喜欢"听好话""戴高帽"。在女孩出现任性的初期，你或者顺向地夸奖她的某一长处，为女孩的"转变"找台阶，或者反向地激将，说她"不会怎样""不能怎样"，孩子可能就来了"我能怎样"的劲儿，这样也往往能使她摆脱任性的情绪状态。

第四，注意转移。

经常看到这样的情形：女孩非常任性地要做不该做的事，大人非要阻拦不可，但说也不听打也不行，一个要干，一个要拦，相持不下，局面尴尬。若恰在这时推门进来一个生人或发生一件新奇的事，女孩立刻被吸引过去，就不再任性了，这是因为她的注意转移了。孩子的注意是很容易转移的，你可以在女孩出现任性行为时，利用当时的情境特点，设法把女孩的注意力转移到能吸引孩子的一些更加新颖的事物上去。这一方法在任性初起时更灵。

第五，不予理睬。

在女孩任性地耍脾气时，你在料定没什么"安全问题"的情况下，就可以不理睬她，任她闹一阵子，等她不闹了再去说理。这种方法需要一不要太性急，二不要心太软。

第六，自我强化。

比如，女孩不吃饭，拿不吃饭要挟大人。那么你就赶快收拾饭桌，让她好好饿一顿，饿肚子的感觉就是最好的"惩罚"。又如，没到穿裙子的季节，孩子犯拧非穿不可，如果其他办法不管用了，那么就让孩子去穿，受凉挨冻就是最好的教育。采用这一方法，一是要确保后果对孩子身心没多大的伤害，二是大人要狠狠心。

总之，女孩的懂事不是天生的，需要妈妈的长期引导，才能改掉女孩任性的坏毛病。对于女孩的任性，不能太过于迁就，不能让女孩得寸进尺，否则就无法真正让孩子懂事，形成一种自制力。

第08章
独立自主，妈妈要训练女孩超越于同龄人的自立能力

女孩要想在竞争激烈的社会中站稳脚跟，还必须学会有主见地做人、做事。让女孩有主见，这一任务对于妈妈来说，责任重大。妈妈要让女孩生长在健康、积极的环境中，但不能溺爱女孩，不能包办女孩的生活和学习，而应该给孩子提供更多自己做主的机会。要想孩子有主见，首先要培养她们的自主意识，要舍得放手让孩子凡事多尝试，妈妈切忌事必躬亲。

从小会自己穿衣打扮的女孩更自主

要想培养女孩有主见的个性，妈妈应该给孩子提供更多自己做主的机会，其中就包括让女孩从小穿得自主。女孩是美丽的精灵，虽说"貌由心生"，但也不能否定"人靠衣装"的道理，更何况是天生爱美的女孩。但现实生活中，我们发现，很多妈妈为了让女孩专心学习，在很多行为上限制女孩，尤其是穿衣打扮，一些女孩的衣橱里出现频率最高的莫过于两套校服：一套可以在春、秋、冬季穿，是长裤、长袖的运动服，另外一套则是适用于夏季穿着的纯棉短袖T恤。一个在自己穿衣打扮上都不能有主见的女孩，很难在日后其他事情上有主见。

培养女孩并不需要刻意在一些物质方面短缺，让女孩穿得自主，本来就是培养女孩的要求。因此，妈妈在日常生活中，要注意以下几点：

第一，不要用太多规矩限制孩子的穿着，尽量让孩子穿她喜欢的衣服。

比如，妈妈带孩子外出玩耍时，在保证安全的前提下，可以让孩子按照当日的天气、心情、喜好，自己决定当日的着装。当然，这也要适合女孩的年龄和一定的场合，不能任其发展，否则不利于女孩自主意识的培养，反而会让女孩形成骄纵、任性的坏习惯。成长期女孩总的穿衣原则是要符合学生的身份。随着年龄的增长和孩子自主意识的增强，妈妈可以适当放宽要求。

第二，当女孩在穿着上和你有不同意见时，如果你有顾虑，就可以用"共同决定"的方法引导她。

例如，你认为女孩穿得不合适，不要说"不准！"而是告诉她，我们去找别人评理，如果他说这样穿可以，就这样；但如果说不好，我们就要换其他的衣服，孩子往往能接受第三方的意见。

第三，假如女孩太过注重穿着打扮，要告诉女孩，真正的美丽是心灵的充盈，而不是外表。

妈妈带女儿坐公交车外出，一位衣着华丽的美女坐在"老幼专座"上，照着镜子，摆弄自己的发型。这时，一位老人上车了，美女装作没看见，继续弄她的头发，这时售票员开始提醒大家："哪位给老人让个座？"这时，坐在离门口比较远的一位女士站起来，搀扶着老人边走边说："老人家，您坐这儿吧！"下车后，妈妈问女儿："你觉得那位照镜子的阿姨美吗？""美！""那她与那位给老人让座的阿姨相比，谁更美呢？""照镜子的阿姨。""孩子，人美不美并不只是看外表，要看内心。那位给老人让座的阿姨才是最美的。"

这位妈妈的做法是正确的，孩子还小，不懂得什么是真正的美，需要妈妈的引导和教育。如果在女孩小的时候，她就能把握"真正美"的标准，那么，她长大后就绝不会因为自己的外表而怨天尤人，而是把大部分心思用在提高自己的修养和美化自己的心灵上。而同时，从另外一个方面说，她也就不会过分注重自己的穿着打扮了。

第四，不要太多说教。

孩子如果总是依赖于你的说教，她可能会失去判断力，没有主见；孩子如果不相信说教，她可能会叛逆，或不信任你。现在的女孩都有强烈的自我意识，尤其是穿着打扮上。

在教育女孩的方式方法上没有一定的对错，因为孩子的教育要因材施教，而培养女孩，就要培养她的自主意识和能力。对一个孩子来说，在穿着上，你用"不允许""不准""违规就要处罚"这些强硬的方法来教导她的话，她学会的就是："我不应该这样穿，因为我怕惩罚。"慢慢地，孩子的自主意识就被抹杀了。其实，穿衣只是一个方面，任何事情都是这样，最好的方式是鼓励她们去做想做的事情。每个人都该有自己想追寻的理想，对于正面的、积极的理想，妈妈可鼓励她们大胆地追寻，负面的则用"稍稍的"惩罚把它挡住，这样你就能培养一个有主见的女孩。

存钱罐，妈妈可以让女孩自己管

现代社会，无论从家庭还是社会角度来说，女性都必须在金钱上有独立自主的意识，并且要能管理金钱。妈妈培养女孩对金钱的管理能力，是为了培养一个有主见的女孩。而生活中，很多妈妈认为，如果孩子过早或者过多接触钱，那么孩子的人生就会把钱定为核心，影响孩子品质的培养。尤其对于女孩来说，品质高洁是一种重要的竞争力，如果被金钱侵染，那么就会变得俗气不堪，还会影响孩子的判断力。

其实，这种认识是错误的。金钱是一个不可忽视的社会元素，如果不给女孩讲金钱的事，那么在早期的接触中，她可能会形成错误的意识。孩子们总是看到通过购买的方式，把自己喜欢的东西带回家。只要她们有了需要，就希望妈妈给自己买回来。比如，有一个小女孩，当妈妈生病去世之后，就每天央求爸爸把死去的妈妈买回来。又如，孩子不知道金钱是需要辛苦去赚取的，她就不可能珍惜父母的劳动成果，而任意挥霍。

而这种错误的金钱意识，会让女孩形成依赖妈妈、没有主见的坏习惯，因为真正的独立既包括精神上的独立，也包括经济上的独立。错误的金钱意识，使许多孩子喜欢乱花钱，对于物品不够爱惜，会让孩子在金钱上依赖妈妈。因此，为了不让自己女儿正确的金钱意识太晚形成，妈妈不如及时告诉她什么是钱。尤其是让孩子自己学会管理钱，不但可以培养孩子的勤俭意识，同时对于孩子思想独立性的培养也很有帮助。

现在，由于人们的生活条件都很富裕，妈妈对孩子的要求常常是有求必应、无求也应，给孩子买来各式各样的潮流玩具、时髦流行的高档衣服，妈妈的虚荣心得到了满足，孩子的攀比心理也逐渐形成了。尤其是女孩，由于非常注意外表形象，这种虚荣和攀比心理就更严重，这会严重影响孩子的身心发展。

同时，从小在钱堆里长大的女孩会过度重视物质享受，缺乏刻苦奋发的精神，即使妈妈苦口婆心地告诫她们要独立，但是她们还是不由自主地选择依赖。因为她们害怕被现代社会无情的竞争淘汰，同时有人抵御不了外界存在的太多诱惑。

无论是从培养孩子的品质来说，还是从培养孩子的主见性来说，妈妈都应该尽早让孩子学会管理自己的钱罐。培养孩子正确花钱，有以下几种途径：

第一，教孩子学会储蓄。

在孩子小的时候，可以给女孩买一个储钱罐，告诉她：这个"银行"不会把你的钱拿走，而是为你保存起来。并鼓励她把钱存到这个"银行"里，让孩子体会到储蓄金钱的快乐。如果条件允许，还可以在银行以女儿的名义开个账号，让她保存自己的存款。

第二，适当给孩子零用钱。

当女孩长到一定年龄，对金钱有一定的认识的时候，就可以给孩子零用钱，但是数目不要很大，且要相对固定。在给孩子零用钱时，首先要告诉她这些零花钱该花在哪里，怎么花，然后给孩子做个计划，并监督孩子严格按照计划行事。如果孩子提前把当月的零用钱用完，妈妈就要问明情况，再决定给不给、给多少，并对下月的零用钱作出调整。

很多妈妈，特别是那些财大气粗的妈妈，认为这未免显得小里小气，这样的教育方法也有小题大做之嫌。其实，只有这样才能够教会孩子节制自己，也才能让孩子在经济上独立。

第三，让孩子想办法通过自己的努力来增加自己的储蓄金额。

比如，可以让孩子参加家务劳动，或为鼓励孩子达到某个目标而设立某种有意义的奖项，这样孩子会深刻体会到赚钱的辛苦，同时会获得被认可的快乐。

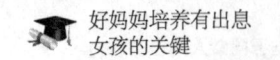

第四，让孩子去购物。

开始可以让她买自己的东西，不但锻炼了计算能力、应变能力，还有利于孩子养成爱惜物品、勤俭节约的好习惯。慢慢地，当家庭需要购物时，也可以请孩子代劳，并让孩子对所购物品发表意见，比如，买哪种物品更经济实惠等。久而久之，孩子会形成一种理智而独立的购物习惯。同时，她会通过提高自己的能力来满足消费需要，而不是依赖别人。

总之，成长期的女孩不是成熟的消费者，这时大人的关心和引导是十分必要的。这种干预和引导的出发点应该是促进孩子成长，让孩子早日形成经济上的独立意识，从而形成精神上的主见性，以便能更好地适应社会。

适当放手，让女孩自己的事自己做主

每个人都需要有自主意识，才能成为一个独立的生命个体，女孩也不例外。有人说："生命的价值在于选择。"但做妈妈的常常忘记这一点，他们不让孩子去作选择，总是认为女孩需要保护，总是忍不住要替孩子作选择。于是，孩子只能按照妈妈的决定去做。那么，这些决定越正确，其依赖性就可能越强。一方面，孩子获得的资源越来越多，能力也越来越强，但另一方面，她的生命激情却会越来越低，自主意识也就越来越淡薄。她们感受到这一点，于是想对妈妈说"不"，但她们又一直被教育听话，所以连"不"也不敢说了，只好用被动的方式表现自己的叛逆。

可以说，替女孩作决定，干预了女孩的成长过程。女孩自出生以后，自主意识就会越来越强，就有一种想要自己作决定的愿望和要求，可如果妈妈长期让女孩的这种需求得不到满足，很可能导致孩子产生消极的自我评价，而这一点可能会深植于她的内心。长大以后，孩子可能会缺乏判断力和选择的能力，缺乏责任感，凡事依赖他人，缺乏主见。

培养女孩的自主意识，需要妈妈对女孩从小放手，让孩子自己作决定，即妈妈给孩子制定一个基本的底线——认真生活，不做坏事，然后放手让孩子去决定自己的人生，只是在非常有必要的时候才去帮孩子。具体来说，妈妈可做到以下几点：

第一，让女孩自己去选择。

作为成年人，妈妈幸运地拥有大量的选择机会，可以更好地控制自己的生活。而女孩作为未成年人，也应该拥有选择的机会。

生活在一个存在多样化选择的时代里，女孩必须能够作出有根据、负责任的决定。如果你的女儿了解自己的偏好，对自己的偏好充满信心，足以抵抗外部的压力，并且能够全面考虑她作出的选择可能给自己及他人带来的后果，她就会作出更加正确的决定。与她一起生活和学习的成年人应该尽可能帮助她培养这些思考和反思的技能。

赵雨刚上小学二年级时，学校要举行全校性的纠正错别字竞赛，赵雨告诉妈妈："老师想让我参加纠正错别字竞赛。"

"这是件很好的事，你报名了吗？"

"还没有。"

"为什么？是不是没有想好？"妈妈问。

"竞赛时台下会有很多人看，我有点儿害怕。"赵雨很激动，毕竟这是她第一次参加这种集体性的竞赛活动。

"要是参加竞赛的话，可以锻炼自己，不过这件事你还是自己决定，我只是告诉你我的想法。"妈妈鼓励道。

后来，赵雨自己决定参加这次全校范围内的纠正错别字竞赛。

让女孩有自己独立的人生，让孩子自己作抉择，有助于强化她的自我意识，赵雨的妈妈是位家庭教育的有心人，她也是明智的。因为一个经常为自己的人生作决定的女孩，她的生命力是顽强的，尽管因为年轻，她会遇到一些挫折，但那些挫折最终和成就一起，让她感觉到自己的生命是丰富多彩的，更重

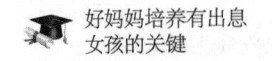

要的是，这是她自己的经历。

第二，尊重孩子的意愿。

妈妈应尊重女孩，把她当作家庭中平等的一员来对待，要尊重她在家庭中的地位，任何涉及女孩的事情，应尊重或听取女孩的意见。要尊重孩子的见解，甚至当你不同意时，也要以商量的口吻表示对孩子的尊重。如对话时，不要中断或反驳孩子，不要干涉孩子用自己喜欢的方式做事等。

第三，给孩子自己的小天地。

无论你的居住条件如何，都要给你的女儿一块属于自己的小天地、小角落。在这个角落里，可放置玩具架及小筐、纸盒等容器，每天给女儿一些自由支配的时间，让她自己作决定，自由地与小伙伴玩耍，自己取放玩具，做一些力所能及的劳动，给她一个安定和谐的生活环境，即使家庭条件不好，也要尽量满足孩子独立居住的要求。从生活上自主，也是让孩子自主的一个重要开始，给女孩独立的空间，有助于女孩独立地思考。

总之，只要不是原则性的问题或危险的事情，妈妈都可以放手让女孩自己作决定，要给女孩以单独思考、学习和玩耍的时间和机会，千万不要左右你的女儿，也不应该对孩子事先作出假设或者限制，这样孩子才能成长为一个独立、有主见的女性。

做事有计划和条理，女孩才不会手忙脚乱

当今社会，生活节奏已经日趋加快，只有有条理、有计划地安排生活、学习和工作，才能将生活安排得有条不紊。而作为一个女孩，是否能有条理性、计划性地做事，也体现了她的自主意识。女性娇弱但不懦弱，自主的女孩可以掌握自己的命运，刚柔并济地在未来社会中打造出自己的一片天空。然而生活中很多妈妈对此并没有引起重视，而是对女孩的自主精神进行压制，认为这是女孩不听话的表现。其实，妈妈需要做的是进行引导，培养女孩做事有条

理，是培养其自主精神的一大方面。

"妈妈，我的芭比娃娃放哪儿了？你快帮我找找！"小雨大声地喊着。过了一会儿，妈妈又听见小雨在自言自语："我的拼图呢？"妈妈心想，小雨都快5岁了，还总是这样，做事情时一点儿条理都没有，以后可怎么办呢？

其实，生活中这样的情况并不少见，常有妈妈抱怨，说女儿经常把东西扔得到处都是，永远也找不到自己想要找的东西。其实，这可能是因为妈妈在最合适的时期，没有及时训练及培养孩子做事有条理的好习惯。那么，为什么孩子做事没有条理呢？

孩子做事没有条理，不仅与妈妈的教育方式有关，而且和妈妈自身的行为也有直接关系。有的妈妈打开衣柜，总是找不着要换的衣服，有的妈妈把看完的报纸随手一丢。久而久之，妈妈的行为就会给孩子带来不良的影响，不利于培养她做事有条理的好习惯。

要培养孩子做事有条理的良好习惯，妈妈应该怎么做呢？

第一，妈妈以身作则。

正如上面所说的，很多妈妈的不良习惯容易对孩子产生坏的影响。俗话说：喊破嗓子，不如做出样子。妈妈要言传身教，以身作则，做任何事情都要表现出一种强烈的责任感，以认真负责的态度影响女孩。如在家做事时主动勤快，有条理；脏衣服不乱塞乱放，换下来就洗；上班前将房间收拾整齐等，为女孩树立良好的榜样。

培养孩子做事有条理是一个漫长的过程，只有坚持要求，反复强化，不断激励并加以督促引导，才能使孩子养成做事有条理的好习惯。

第二，建立合理的作息制度。

有规律的生活是培养女孩做事有条理的重要前提。妈妈应根据孩子的年龄特点和家庭条件，把每天起床、睡觉、做游戏、看动画片、学习及家务劳动的时间都固定下来。教孩子做事时，一定要交代清楚什么时间应该去做什么事情，怎样才能做好这件事，应注意些什么问题，做到要求明确，检查及时。

第三，培养孩子做事有条理的习惯。

妈妈应该随时留心观察女孩，看看她做事是否有秩序，是否知道先做什么，然后做什么。通过观察，如果发现孩子时间规划能力差，应立即给她指出来，并告诉她无论做什么事都要按步骤完成，做完一件事再做另一件事。如果有许多事情要做，必须先安排好顺序。如星期天，妈妈给孩子提出哪几件事是必须做的，然后让孩子自己安排。可以让她用计划表将要做的事及先后顺序表示出来，一次次地强化，久而久之就会养成做事有条理的习惯。对于年纪尚小的女孩，可以从吃饭、穿衣这些小事开始。

比如，把为女孩穿衣、脱衣的全过程用照片的形式记录下来，贴在醒目的地方，还可以将穿衣脱衣的顺序编成朗朗上口的儿歌，录到复读机中，等到女孩做角色游戏时，可边听儿歌，边根据照片的步骤，一步一步帮助小娃娃穿衣、脱衣。如此，妈妈不仅在游戏中教会了女儿穿衣、脱衣的方法，培养了她做事的条理性，而且让她在自由的环境中获得了成功的体验。

第四，要对孩子进行必要的惩罚。

对于做事常常丢三落四的孩子，小小的惩罚也是必要的。

楠楠有一次去上绘画课，到了教室才发现，忘带橡皮了。其实，妈妈早就发现楠楠没有带橡皮，故意没有告诉她，只是想给她一个教训，让她以后注意。

第五，让孩子自己的事情自己做。

其实，女孩相对于男孩来说，是细心的，只是很多妈妈长期为女孩包办生活，导致了女孩自主做事能力的弱化。为了培养孩子做事有条理的好习惯，妈妈应学会放手，鼓励她自己的事情自己做，妈妈只给予必要的方法上的指导就可以了。妈妈可以利用双休日的时间，和孩子一起制订这一天的活动安排，提醒、督促她按计划完成。开始时，孩子可能丢三落四、虎头蛇尾，妈妈不要批评她。只要妈妈不断地要求孩子，同时加以引导和鼓励，就一定能够收到好的效果。

由于孩子身心发展的特点，做事难免会丢三落四，妈妈不必为此发愁。但要对此进行引导，培养女孩的秩序感是一个循序渐进的过程，需要妈妈的坚持与耐心，需要妈妈从各个方面下功夫。

给女孩发表意见的机会

女孩自打出生时，就有发表意见的要求，比如，用手去触摸自己喜欢的东西，不喜欢有些长辈抱自己时，就大声地哭闹，对于此时女孩的这些行为，妈妈一一接受了，可是随着年龄的增长，妈妈为什么又压制了这种自主权呢？这种矛盾的做法对孩子的成长是极为不利的。

其实，女孩要求发表意见、要求独立自主的意识是随着年龄的增长越来越强烈的，妈妈要给予孩子尊重，要多给她发表意见的机会，而不能压制。

冉冉是个很可爱的女孩，但妈妈惊异的是，这么小的女孩居然总是有自己的想法。冉冉说："我已6岁了，不再需要别人告诉我该做什么、该怎么做，我想自己做主，决定一切事情。""妈妈要我上床睡觉时，可我不想睡，有一个好办法可以拖延时间，比如，不断提出问题，妈妈没回答完，我就不睡觉。"冉冉希望自己决定睡觉前的活动，于是会选择性地要求妈妈讲故事、唱儿歌给她听、陪她在被窝里躺一会儿，或者再回答她一个问题等。

当妈妈满足其种种要求后，准备离开她的房间时，冉冉又会再提出"最后一个"问题。而这个"最后"的问题常常不止一个。于是，请自己可爱的女儿上床睡觉变成整个家中相当冗长的仪式。

冉冉的这种表现就是这个年龄段女孩要求自主的外在反映，是孩子要求妈妈接受自己意见的方式。随着年龄的增长，女孩能从环境中慢慢地体会到"权利"的存在，也相信自己有运用"手段"的能力，如利用提问题的方式规避睡觉。在这种情况下，她感觉到自己的权利受到了肯定，甚至感觉到妈妈对自己的重视和无奈，这时她反而会很开心。妈妈对女孩这种"自主"的要求，应该感到开心才对。要培养出一个有判断力、有责任感的孩子，前提是必须懂得权利的授予。所以说，孩子希望自己决定上床的时间，妈妈在可接受的范围之内，给予孩子一定的权利，这样才是双赢的做法。

具体来说，妈妈应该注意以下几点：

第一，不要压制孩子的想法。

妈妈当然比女儿拥有更大的权利，甚至有权不满足女儿的愿望，但这么做只会造就一个本性温柔但没有主见、没有责任感而且脾气暴躁的女孩。

其实，疏导是比围堵更好的手段。而且，孩子拒绝妈妈要求她做的事，不是要反对妈妈，只是想对自己的事有主导权。如果妈妈理解并尊重这一点，那么，对女孩的发展是有利的。

第二，支持孩子在小事上自己拿主意。

当冉冉几次不肯睡觉时，妈妈可以对她说："冉冉，我相信你一定能管好自己的，因为你明天7点要起床。所以，你自己会在9点前上床睡觉，我相信你能够自己注意时间。"果然，冉冉听话多了。

其实，妈妈可以支持女孩自己管理自己，并提醒她界限何在。当孩子作选择时，她觉得自己的确享有主导权，这一点会令她开心。妈妈又或者可以问她："你想要先听故事呢？还是先换上睡衣？"两种选择都暗示她该睡觉了。

第三，妈妈要保持适当的权威。

许多妈妈也许在自己的孩童时期，所接受的教养方式是极端权威的，家长说一，她们绝不敢说二，所以，她们从未享受发表自己意见的权利。于是，她们把这种教育方式传达给了女孩。孩子如果所争取的是对她自己的自主权，而不是对妈妈的或其他人的管理权，那么她的要求就没什么不对。妈妈应将大人的权利保留在适当范围内，别将它过分延伸到孩子身上，但同时，也要让孩子尊重妈妈的权威。妈妈应尊重孩子的权利发展，同时坚持对孩子有利的一些原则。

比如，你的女儿选择了晚上8：45上床睡觉，但时间到了，她仍不肯上床，你这时要严格要求她："因为你今天答应的事情没有做到，所以明天你没有选择，一定要在8点半上床。"妈妈说出口的话，一定要严格执行。

女孩从襁褓时期对妈妈完全的依赖，到发展自我意识、建立自信、试验探索，终于长大成一个独立的女性，这都需要主见的培养。要想孩子有主见，妈妈可以遇事问她的看法和想法，不管是幼儿园的事还是家里发生的事，报纸上刊登的事，或者是路上看到的事，包括爱吃什么、爱穿什么、爱玩什么，都要问她原因，从日常这些小事中，学会让女孩独立地发表自己的意见，让女孩学会独立思考，慢慢地，女孩就形成了遇事靠自己的习惯，也就有了自主、独立的能力。

鼓励女孩多参加社会实践

俗话说："生活即教育，社会是课堂。"培养女孩，不能让女孩深居闺中，不谙世事，这样只会导致女孩依赖性强、没有主见、缺乏判断和自主的能力。只有让女孩融入实际生活，才能发现生活中的美丑善恶，才能找到改善生活、改变社会的途径，才能成为一个有主见的独立女性。

其实，生活中并不是女孩们不能自主，而是很多妈妈不愿意放手。

芊芊今年6岁半，什么事情都依靠妈妈，甚至发展到做作业都要妈妈陪着，当别人问及她以后有什么理想的时候，她说："永远不长大！"这令别人很奇怪，但芊芊有自己的原因："不长大就可以永远和爸爸妈妈生活在一起，爸妈可以帮我做好一切！"但在接下来的一个月，芊芊似乎变了。妈妈在北京最冷的一月底让她参加了一周滑雪拓展营，她是其中最小的营员。她生活自理，表现良好。回家后，她每天早上都主动穿衣洗脸，还把自己的抽屉收拾得整整齐齐，慢慢地，芊芊开始能自己学习，并主动帮爸妈做一些力所能及的事情。

女孩最终也要步入社会，参加社会实践活动。以前的芊芊是令人担忧的，这样的女孩在生活中并不少见，但正如芊芊爸爸妈妈一样，如果试着大胆放手，妈妈或许会发现，用不了多久，那朵温室中的小花会像蝴蝶般破茧而出，并飞得潇洒而自在。

妈妈不妨鼓励你的女儿走出校门和家门，去参加一些亲近自然、融入生活、关注社会的实践活动。让女孩从小就融入多彩的生活，主动发现生活问题、社会现象，进行调查研究，寻求解决问题的方案，增强她们的独立意识和自主能力。通过一些社会实践活动，女孩们会变得好奇、活跃，能用孩子的眼睛主动寻找、发现生活中和社会上存在的问题、弊端、不合理之处，从而形成许多有价值的研究问题，开启自己的智慧。现代社会，女性的自主意识已经成为决定命运的重要因素，而社会实践活动正是充当了让女孩提前经历社会、历练自己的这一角色，拓宽女孩的视野，培养女孩的阅世能力，也是富养女孩的要求。

社会实践活动种类多样，包括：

（1）"手拉手"活动。让生长在城市的女孩心系贫困山区，能够丰富孩子的知识，献出自己的爱心。

（2）"给祖辈买东西"。让孩子自筹10元或15元经费，给爷爷或奶奶买一种蔬菜、一种水果或一样日用品，然后送到祖辈手中，看买的东西是不是爷爷奶奶需要的。爱就意味着用心灵去体会别人最细微的精神需要。在买东西的时候学会讨价还价也是生活需要的本领。

（3）"卖晚报"。推销也是难得的锻炼，如果把报卖完了，所得的报酬便是劳动的成果。

活动也是教育。教育女孩，的确有别于教育男孩，但一些社会实践是无论对于男孩还是女孩都必要的，家庭教育中也不可能单纯通过讲解和说教就能教育出一个优秀的女孩。

那么，妈妈在让女孩参加社会实践活动的时候，需要注意什么呢？

第一，要明白活动要达到什么目的，有没有吸引力。

孩子毕竟是孩子，尤其是幼年的女孩，可能更关注活动的趣味性。再有意义的教育活动，如果没有趣味性，也很难达到良好的教育目的。

第二，防止走形式。

孩子参加社会实践活动，是要达到教育的目的，不是走过场，要让女孩自己解决活动中遇到的困难。同时，在一些社会活动中，妈妈还可以让女孩自己筹划、联系和组织，这样孩子可以从中得到更多的锻炼、收获和乐趣。另外，妈妈要鼓励孩子在社会实践中注意观察，学会提问，善于交往，动手动脑，勤做记录，这样收获会更大。

第三，社会实践的难度要适中。

活动的难度过大会让女孩产生受挫感。毕竟，在女孩的成长过程中，妈妈要以呵护为主，受挫只是生活中的插曲。女孩有了强烈的受挫感之后，很容易自暴自弃，这对于培养女孩的主见反而起到了一个反面作用。

总之，妈妈在教育活动中，如果能经常调动孩子学习的主动性和积极性，多给予女孩参加社会实践的机会，那么，不仅能让孩子增长知识，而且能锻炼孩子做事和交往的能力。

女孩要学会对自己的行为负责

责任感是人们对自身言行带来的社会价值所进行的自我判断，并从中产生情感体验。这种体验来自对自己行为后果的反馈，同时又能够激励、督促自己去履行一定的义务，以实现一定的行为目标。但谈到责任感，很多妈妈可能认为这是男孩应有的品质，其实不然，女孩也需要责任感，责任感是一个人安身立命的基础，女孩作为一个独立的生命个体，如果养成做事不负责任的习惯，就会更多地重视行为过程本身，而不太重视行为结果。因此，女孩也必须培养责任感，必须有对自己的行为结果负责的习惯。

人都有一种积极向上的内在趋势，孩子幼儿阶段所表现出的各种主动尝试的愿望，正是一种责任心的萌芽。如孩子自己要求独立吃饭，试穿衣服，手脏了自己洗……妈妈应该密切关注她，鼓励她，而不是帮她去做。幼儿在尝试的过程中，培养责任意识能增强自信。那么，妈妈应该怎样培养女孩的责任意识呢？

第一，给女孩一些家庭劳动的任务，让她学会为集体承担责任。

当今社会，只有学会借用集体的力量，才能发挥自己最大的价值。女孩也是家庭中的一员，应该从小培养她对这个集体承担责任，例如，做一些力所能及的家务，这个家务可以是一件很小的事情，甚至只是在饭前把碗筷摆好。别看这些事情小，它能让孩子知道在这个家庭之中，每个人都有自己的作用，每个人都有自己的角色。当孩子认真完成了自己的家庭任务时，妈妈应及时地给予表扬，如果失误了，也应该耐心地进行指导。只有这样，才能让孩子不以自我为中心，强化自己对他人的责任，对周围环境负责。想把女孩培养成一个有责任心、目中有人、能对自己的行为负责的人，就应该从生活中的点滴小事做起。

第二，激励孩子做正确的事。

因为年幼的女孩做事往往是凭兴趣，对她要求不明确，女孩便不会坚持下去，因此，要让孩子对某件事负责到底，妈妈必须清清楚楚地告诉她做事的要求。如把洗青菜的活儿交给女儿，做好后可以表扬她："我自己都没有做得那么好！向你学习！"要是孩子没有做好，也要告诉孩子："没洗干净的菜不能吃，否则，会吃坏肚子的。"这样她才会知道，对自己的行为是要负责的。

有个10岁的小女孩负责为家里倒垃圾已经5年了。在她5岁时，突然对倒垃圾产生了兴趣，一听到收垃圾的铃声，就提着垃圾桶去倒。她的妈妈为了提高她参加家务劳动的积极性，培养她的责任感，就对她帮妈妈做事予以表扬，说她能干、勤快，还经常当着女孩的面在外人面前称赞她："干得不错！我们都应该向你学习！"这使孩子产生了一种自豪感，并慢慢地养成了主动倒垃圾的习惯，把这项劳动看成一种责任。

第三，放手让女孩自己处理自己的事情，妈妈不要事事包办。

燕燕的妈妈要求燕燕洗完澡后把换下来的衣服放进洗衣机，可8岁的燕燕却经常忘记。妈妈就让她用一个记事本记下洗澡后该做什么事，以便提醒自己。从此以后，燕燕不但记住了，还做得很好。妈妈就夸她说："燕燕，你做得比大人都好，妈妈也得向你学习。"现在，燕燕已不需要记事本提醒自己了，她为自己的进步感到很自豪。

可见，当要孩子记住做某事时，大人与其经常提醒或给她贴备忘字条，还不如让孩子自己记下要做的事情，并及时鼓励孩子。那样孩子会为记得提醒自己而高兴，慢慢地也就学会了对自己的行为负责。只有学会对自己的事情负责，女孩才能逐步发展为对家庭、对他人、对集体、对社会负责。

比如，当你的女儿损坏了别人的玩具，一定要让孩子买了还给人家。也许对方的妈妈会认为损坏的玩具不值多少钱，或认为小孩子损坏玩具是常有的事，或者因为其他某些原因而不好意思收下女儿的赔偿。但从培养女孩的责任感出发，还是要说服对方收下，这样可以让你的女儿知道，谁造成不良后果就该由谁负责，每个人都要对自己的行为负责任。

第四，妈妈在家中要为孩子树立好的榜样，"言必行，行必果"，这样才能让孩子有模仿对象。

培养女孩的责任心，让女孩对自己的行为负责，也是为了能让女孩在不断的锻炼中形成有主见的能力，毕竟，"吃一堑，长一智"，让女孩学会负责，慢慢地，她也就学会承担了。

第09章
能力培养，妈妈要做女孩天赋与潜能的开拓者

当今社会，女孩如果想要进步，想要紧跟时代的步伐，成为一个有知识、有能力的女性，就必须努力学习。可是女孩的大脑不同于男孩，女孩对于学习的适应性也不同于男孩。在学习方面，女孩有着不同于男孩的特点，比如，女孩更擅长有时限规定的任务，她们喜欢用感性来理解所学习的知识等，妈妈对于这一点要有清晰的认识，要因势利导，激发女孩学习的兴趣，挖掘女孩的潜能和长处，弥补其短处，以此来培养孩子出众的学习能力，把女孩培养成一个富有智慧的女孩，让其受益一生。

口才是女孩的一大优势

在女孩的眼里，世界是以关系为载体的，同样，女孩的优势也将围绕关系展开——她们天生喜欢语言、社交和与人交流，这促使着她们去发展与之有关的技能。女孩天生是外交家，当男孩还在和邻居小孩打架的时候，女孩就已经开始充当斡旋与维持和平的使者了，这些都是由于女孩的语言天赋，对语言更敏锐的直觉。妈妈应该根据女孩的这些先天特征，训练女孩的口才，女孩拥有好口才，也就拥有了一项重要的生存技能。

女孩更擅长调动自己的听觉、视觉、触觉、味觉和嗅觉等感官，捕捉到那些微妙的、不容易被人发觉的信息以及更为具体的细节，建立起自己的直觉系统。女孩天生比男孩更敏感。"听"是女孩得天独厚的心智能力，因此，女孩对噪音的反应更强烈，对语言有更高的敏感度。她们喜欢交往，并注重发展亲密的友谊。她们对人更感兴趣，在摇篮里就表现出与人交流的倾向性。交流使她们感觉到支持，先交流后行动是女孩习惯的方式。她们很早就学会说话、书写、造句，有良好的语言推理能力，并且很少出现阅读方面的问题，这些使女孩一上学就表现出男孩所不具备的优势。而妈妈要鼓励女孩把这些优势自然地应用到人际交流中，成为女孩口才训练的一个重要方式。

女孩口才的获得，可以说是先天因素和后天训练的共同成果，具体来说，妈妈应该做到：

第一，鼓励女孩在平时表达自己的想法和感受。

正是由于女孩具有这种天赋，所以妈妈更应鼓励女孩说出自己的感受和体验，表达自己的观点。在这个时期，妈妈的鼓励决定了女孩是否敢发挥自己的语言天赋。

一位女孩曾这样自豪地说：

有一次数学课，我用一种简单的方法做出了一道复杂的题目，但是老师并不承认我的做法。当我把这件事情告诉妈妈时，妈妈对我说："女儿，不要担心，你的解题方法是对的！"后来，在我的成长中，经常会遇到类似的情况，都是妈妈的那次鼓励给了我继续说下去的勇气。

第二，培养女孩的口才要趁早。

我们经常听人们这样说："如果在5岁前没有很好地教育孩子，那么以后再怎样教育都是无济于事的。""在5岁前教会她所应该学会的知识，否则，长大后她会比别的孩子落后的。"这些话虽然不一定正确，但5岁前对女孩教育的重要性却要比我们所意识到的大得多。

5岁之前是女孩大脑发育的最关键时期，因此，在这一时期妈妈除了要教会女孩所应学会的技能，如说话、控制自己的情绪等之外，还应对她的大脑进行保护。如经常向她传达一些好的情感，让她远离那些危险的、有害的信息。

另外，在5岁之前，女孩的语言天赋已经很好地表现出来。因此，在这一时期，妈妈除了要教会女孩说话外，还要引导女孩发挥她的这一天赋。如鼓励她朗诵诗歌，讲故事给她听，然后鼓励她复述等，这些都能在女孩原有语言天赋的基础上，极大地提高她的语言表达能力。

第三，发挥女孩性格优势。

有些女孩依赖性强，有些女孩是敏感的，有些女孩大大咧咧，有些女孩有点儿孤僻，的确，由于家庭教育的不同和女孩们的性格不同，很多女孩都表现出了自己的独特个性，妈妈首先要做到的就是认同和接受她们的性格。在此基础上，妈妈才能有效引导她们发挥性格优势，避免性格劣势，从而培养她们的口才。

蒙蒙虽然是一个漂亮的小女孩，但她天生就有一种男孩的性格，她像男孩子那样喜欢爬上爬下,甚至一些小男孩都不敢玩的体育项目如单杠、双杠等,她都敢玩,而且玩得很出色。她完全不是那种受了委屈、挨了批评就哭哭啼啼的小女生,爸爸妈妈的批评、指责往往对她不起作用……对此,蒙蒙的妈妈很忧虑。

其实,蒙蒙大大咧咧的性格虽然有点儿像小男孩,但这种性格却有很多好处:就像我们前面所说的那样,女儿不像别的小女孩那样敏感、爱哭,这有利于坚强性格的培养。而且最重要的一点是,这种大大咧咧的性格会使女孩拥有很多朋友。研究表明,不管是女孩还是男孩,他们都喜欢与那些不计较细节、性格开朗的女孩交朋友,而且他们还列出了几乎一致的理由:与这样的女孩一块玩不会累,而且可以玩得很开心。

以上只是一些较为宽泛的建议,在生活中,妈妈可以抓住女孩的性格特点,鼓励她多交朋友,培养她的交际能力和训练她的口才,这对她以后的发展将会有很大的帮助,良好的口才是核心竞争力的重要部分。

妈妈要从小培养女孩的动手能力

人们常用"心灵手巧"形容一个女孩,的确,大脑与手之间有密切的关系。科学研究证明:手指的活动与精细的动作可以刺激大脑皮层的运动中枢,同时运动中枢又能调节手指的活动,神经中枢和精细活动反复地互相作用能促进大脑的发育及其功能的完善。苏联著名教育家苏霍姆林斯基也说过:"儿童的智慧在他的手指尖上。"心理学家也一致认为手指是"智慧的前哨",这说明动作的发展多么重要。动手能力是一种最基本的而又十分重要的学习能力,妈妈在教育女孩、开发女孩智慧的时候,不妨从培养她的动手能力开始。

但实际上,女孩更擅长一些感性的思维,有些女孩在实际操作能力上会稍弱于男孩，这是由于女孩的大脑结构等和男孩不一样，但真正造成女孩动手能力弱的原因不仅于此，还由于家庭。现在有很多女孩生长在独生子女家庭，全家围着她一个人转，恨不得把所有的事情都替她做了，但是妈妈要冷静地想一想，这是真正的保护和照顾女孩吗？现在不让女儿做，等女儿长大了，她就什么都不会做，也懒得去做，因为在她的心中，爸爸妈妈早晚会为自己安排和准备好一切的。这样的女孩会成为一个合格的社会人吗？

幼儿园开家长会，老师特意向孩子的妈妈布置了一项家庭作业——教会孩子剥鸡蛋皮。一位妈妈在下面小声地说："这多为难孩子啊，我家女儿还不知道鸡蛋长什么样呢！"老师觉得很奇怪，孩子都这么大了，怎么会不知道鸡蛋什么样子呢，那位妈妈继续说："我总怕熟鸡蛋的蛋黄会噎着她，到现在还一直只给她吃鸡蛋清。"在场的老师和妈妈们都惊呆了。

这位妈妈真的很爱自己的女儿，在日常生活中大包大揽，什么事都替孩子做好，孩子都已经上幼儿园了，还连鸡蛋的样子都没见过。这样的爱摧毁了女孩的动手能力，最终将会导致孩子一事无成。

从这个原因出发，妈妈应该了解到该如何培养动手能力强的女孩了。这其实并不难，只要妈妈不事事代劳，鼓励孩子自己动手，久而久之，便会提高孩子的动手能力。生活中提高孩子动手能力的方法有很多种，而以下是几种行之有效的方法：

第一，让女孩在日常生活中学会自理，自己的事情尽量自己完成。

女孩学会走路之后，活动范围明显扩大了许多，这时的孩子非常愿意做些事情。但是她们手、脚的协调能力还不完善，做起事来常常"笨手笨脚"，妈妈千万别因嫌孩子麻烦或碍手碍脚而剥夺女孩学习劳动的机会，妈妈可以耐心、反复地给孩子做示范，让孩子跟着模仿，孩子慢慢地就会从不熟练到熟练，最后运用自如了。另外，妈妈也可以教孩子自己系鞋带、脱衣服、叠被褥、收拾自己的房间，洗一些简单的东西等。

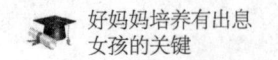

第二，鼓励女孩力所能及地帮助别人。

家庭生活是一种集体生活，也可以看作社会的缩影，妈妈要鼓励女孩多为妈妈做些事情，可以是一些很小的事情，如扫地、擦桌子、洗碗筷等，从小培养孩子为他人着想的意识。

第三，对于一些年龄较小的女孩，可以培养她们对于益智游戏的兴趣。

也许很多妈妈认为，游戏是男孩的专属，但正是这个原因让男孩在动手能力上强于女孩，让女孩投入游戏，也正是为了弥补这一差距。

在人的智能结构中，幼儿的许多知识技能都是在实际的操作活动中学会的，其思维也是在操作活动中逐渐发展的。因此，为女孩提供各种动手操作的机会，有利于激发她们的动手兴趣，调动她们动手的积极性。幼儿非常感兴趣的活动就是游戏，游戏是幼儿运用智慧的活动，在游戏中女孩的感知觉、注意、记忆、思维、想象都在积极活动着，她们不断地解决游戏中面临的各种问题，这可以使孩子的思维活跃起来，从而有力地促进女孩的注意力、记忆力、思考力、想象力的发展，同时也促进女孩动手能力的发展。

第四，妈妈要善于称赞孩子。

当孩子努力去做了，或做得很好时，妈妈要立即予以称赞和鼓励，以调动孩子的积极性，增强孩子的自尊心和自信心。这种称赞尽量不要以实物的形式，比如，给孩子买玩具、买好吃的东西等，因为这样容易使孩子产生虚荣心，时间久了，反而会阻碍孩子的健康成长。

总之，生活中处处都有机会，女孩的动手能力随时都可以培养，妈妈要鼓励女孩多玩，在玩的过程中让她多看、多听、多想，关键是多动手，把女孩培养成为一个自信、乐观、有创意、心灵手巧的人。

时间管理能力是出色女孩的必备素养

女孩天生安静，懂得克制自己，懂得珍惜时间努力学习，但现代社会中，很多女孩成长于独生子女家庭，妈妈的包办和安排让女孩不会合理安排自己的时间，很多妈妈常常会面临这样的情况：女孩写作业时，写着写着没了耐心，或者嫌太难，不想做了，一点儿毅力和耐心都没有，这都是女孩不会掌握和管理时间的表现。妈妈都有"望女成凤"之心，都希望孩子能有一个很好的未来，但这一愿望的实现，需要妈妈充分挖掘孩子的潜能和智慧，因为会统筹规划自己时间的女孩更能事半功倍地学习和生活。那么，妈妈该怎样培养女孩的时间管理能力呢？

第一，让女孩学会珍惜时间。

可能很多妈妈会认为，孩子年龄还小，再让她玩几年，到了一定的年龄，她会知道学习的；还有一些妈妈认为，女孩不能放过任何空闲的时间，这两种教育方法都是极端的。真正的珍惜时间，是指该学的时候就认认真真地学，不要去想其他任何的东西，该玩的时候就痛痛快快地玩，也不要去想学习。光玩不学不行，光学不玩不行，边玩边学也不行，社会不需要玩才，社会也不需要书呆子。

有一个孩子，她学习很努力，成绩也不错，妈妈对她很关心，但要求也很严格。她对自己也要求严格，一回到家，先把该做的作业做好，看了一会儿课外书，准备看一会儿电视就睡觉。这时候爸爸来了，看到自己的女儿在看电视，就说："你应该珍惜时间，努力学习，以后考上清华、北大。"她只好去书房看书了。

时间一天一天地过，她也这样一天一天地过……

这样的情景恐怕在很多有女孩的家庭都发生过。让女孩努力学习，珍惜时间，但也要给孩子空间，把时间还给孩子，适当指导孩子合理安排属于她自己的时间，我们的女孩才会快乐。

第二，让孩子学会区分事情的轻重缓急。

妈妈可以帮助女孩把复杂的工作分解一下，再制订一个时间进度表。就拿写作业来说，妈妈可以试着让女孩调整写作业的顺序，一般先做简单的，再做有难度的。因为人最佳的学习状态应该是在学习的10分钟以后，口头作业和书面作业交替做，这样才不会太乏味。

妈妈教会女孩把事情的轻重缓急分出来，让女孩在第一时间把那些必须且紧急的事情做完，再去做别的事情，这样合理利用时间，有利于提高效率。

培培是个很可爱的小女孩，她只有10岁，却不需要妈妈叮嘱任何事情。每个周末，培培早晨起来第一件事情就是摊开记事本，写下自己一天要做的事情，并且按照轻重缓急、从上到下罗列开来。

接着，培培按照所罗列的任务单，从第一件事情开始做，做完一件事情才会接着做下面的事情。根本不用大人督促，培培不但能很快地把作业做完，同时还有玩的时间，这令妈妈很高兴。

培培这个习惯还是从妈妈那儿学来的，妈妈是个业务员，会把每天要做的事情都记下来，然后按照所写去做，通常不会把事情落下，效率也很高。培培在妈妈潜移默化的影响下，也养成了把一天的事情按重要程度罗列出来这个好习惯，并且受益匪浅。

妈妈每天让女孩把一天的任务写下来，分出哪些是紧急的，哪些是次要的，哪些是必须做的，哪些是可做可不做的，进行一个先后排列，然后让孩子根据排列的先后顺序去做事，就会提高孩子的时间管理能力。

第三，教会孩子统筹安排。

会统筹安排，才会在同样的时间内做出更多的事情，提高时间的利用率。

美美与丽丽是二年级的同班同学，又是好朋友。一次轮到两人值日时，美美与丽丽比赛谁做事的效率高。她们每人打扫一半教室，每人擦一半黑板。

比赛开始了，美美首先去打水，把水洒到自己要扫的一半教室里，然后在等待水干些的同时，去擦属于自己的那一半黑板。而丽丽先是急忙去擦黑板，擦完黑板后才去打水。这时的美美已经把黑板擦完了，而教室的地也刚好能扫了，就动手扫了起来。

丽丽把水洒在地上，却不能立即扫，她只能眼睁睁地看着美美把地扫完，而自己还没有动笤帚呢。丽丽此时才理解美美先洒水的用意，这样可以节省时间啊，她不禁暗暗对美美表示佩服。

一般情况下，女孩比较善于完成别人已经统筹好的计划，而这正是女孩的弱项，妈妈不能忽视弥补女孩的这一能力。孩子做事情都是一件事情完成后再去做另外一件事情，妈妈要教孩子学会同时做几件事情，根据事件的特点与需要的时间学会统筹安排，这样既能节约时间，也能提高做事的效率。

第四，帮孩子养成科学的作息规律。

科学的作息规律不仅有利于休息，还能提高做事的效率。妈妈根据孩子的特点，帮孩子制订合适的科学作息时间，不仅能保证孩子的睡眠，还能避免孩子在课堂上打盹儿，从而提高时间的利用率，增强孩子的时间管理能力。

目前，女孩最需要的是自控能力和事情统筹能力的培养，当女孩学会自控的时候，就要让她学会统筹安排自己的时间和学习的顺序。孩子面临的事情往往是几件事都得做，或者都想做。那么怎么办？不是让孩子不做这件事而去做另外一件事，而是合理地安排时间，把事情都要做好。教女孩学会管理时间，让孩子养成做事有条不紊的好习惯，同时也能提高她们的自信心和独立性，这对于女孩今后的独立生活大有益处。

妈妈要从小激发女孩的学习热情

当今社会，只有努力学习，才会具备竞争力，女孩也不例外。知识是衡量一个女性素质和修养的重要标准，而学习的动力是女孩学好知识的源泉，可以说，这种动力很大程度上应理解为学习兴趣。其实，女孩天生是好学的，她们两三岁时就对外界事物充满好奇，只是很多妈妈认为只要给足女孩物质条件，给孩子买书，买高档的学习用品，孩子就能学好，而忽视了培养女孩的学习兴趣。

其实，女孩天生乖巧、不顽皮，更愿意主动地去学习，所以，很多时候，并不需要妈妈过多的担心。但实际上，现代社会家庭中出现的各种不利于女孩学习的因素，导致了女孩学习怠惰，造成孩子内在的学习兴趣逐渐流失。我们不妨看看以下几种情况下妈妈的做法：

（1）当女孩向妈妈提问时，很多妈妈一般把所知道的全部告诉孩子，这样做就会令她们无法体验自己寻找答案的乐趣，因而扼杀了她们内在的学习动机，同时更会让她们养成依赖及易放弃的习惯，令她们失去自学能力。

（2）当女孩要求妈妈帮忙做某些科目的练习，如搜集或整理资料等，不少妈妈都会帮忙，甚至会视为"妈妈作业"般尽心尽力地完成。然而，孩子会因此失去了一次难得的学习机会，一次发挥自己多元智能的机会。

（3）当女孩被同龄人欺负时，很多妈妈的做法是替孩子出头，生怕自己的宝贝女儿受到伤害，但这样做是不对的，这会使女孩变得更加依赖妈妈。这本是一次学习的过程，它可以培养孩子的解决问题、保护自己及与人相处等能力。为此，妈妈不妨依据孩子的心智成熟程度，与她们共同讨论应如何面对这种处境，并耐心地聆听她们的感受及想法，鼓励她们从不同角度思考解决方案。

俗话说得好，"天生我材必有用"，培养女孩的学习兴趣，让兴趣这位老师督促女孩学习，女孩必能发挥其最大的潜能学习，并有所建树。而身为妈妈，应该顺应女孩成长的规律，不应该压抑女孩的好奇心、禁止女孩发问，反而要鼓励她们，妈妈也应该多带女孩上街，让她们多接触新事物。

妈妈都希望自己的女儿既能轻松愉快，又能取得好成绩。学习兴趣是推动女孩学习的一种最实际的动力，它能够促使孩子自觉地去学。一般来说，女孩的学习兴趣与她们的学习成绩、学习信心是相辅相成的。她对某门功课有兴趣，学习成绩就会好，学习信心就会足。因此，妈妈对女孩学习兴趣的培养很重要。那么，如何培养孩子的学习兴趣呢？

第一，尊重孩子的兴趣。

很多妈妈认为应该把女孩培养成为一个全能型人才，于是从孩子一入学开始，就千方百计想孩子学得好、懂得多，所以把女孩的双休日、节假日都安排得满满的。事实上，让孩子多学点儿东西是好的，妈妈的出发点也是好的，但自己的女儿是否喜欢学呢？所以，妈妈不应强迫女孩学这一样，不学那一样，而是应该多给孩子一些自由宽松的空间，让她们自己去选择感兴趣的、喜欢的事。例如，有些女孩并不喜欢弹钢琴，而喜欢动手操作，搞一些小制作。而妈妈认为这不应该是女孩的兴趣所在，便加以阻止，其实，这也是学习的过程，而且这样的学习反而会让孩子学得自觉、开心，况且在这样的活动中，不仅能使孩子的思维能力得到发展，还能提高她们的动手操作能力。妈妈不但不应该阻止她们做，还要根据孩子的这个兴趣特点，为她们提供有关的书籍，创造机会让孩子参加一些有益的活动和比赛。

许多事实证明，小时候培养的兴趣往往为其一生的事业奠定了基础。有些妈妈对女孩寄托了很大的希望，但他们往往按照自己的主观意志去"规定"女儿的兴趣，而不是尊重孩子自身的学习兴趣去培养孩子，这样往往会耽误孩子的发展，因为同样一套教育方式并不是在每个女孩身上都适用。

第二，注意把女孩原有的兴趣与知识学习联系起来，以培养和激发新的兴趣。

学生的首要任务就是学习，女孩也不例外，妈妈应该注意把孩子原有的兴趣与知识学习联系起来，将兴趣引导到学习上来，以培养和激发新的兴趣。

第三，了解女儿的学习能力。

切记千万不能将自己的理想模式强加给女孩，女孩有其本身的特点，而且每个女孩都有自己的特点，目标的制定还要因人而异，即使制定训练目标后也应不断调整，使之始终处于理想模式。

第四，要让女儿有危机感，要给她适当的压力。

妈妈不可能永远庇佑女孩，也不可能呵护女孩一辈子，这是一个不可回避且必须想清楚的问题。因此,女孩必须努力学习,把这种压力转换为学习动力,但学习动力的形成,最好不要灌输,要形成自觉,要引导孩子,让孩子自己分析得来。要让女孩对自己成长生活的小环境和大环境有个正确清晰的认知,要让女孩有危机感。关于大环境,现在大家的一句口头禅就是"现在是竞争社会"。要让孩子明白,这个竞争激烈的大环境与学习的小环境有什么关系,并引导参与其中——要让孩子不惧怕竞争。

但要提醒的是,危机感需要适度,不能让孩子失去安全感,要给予孩子护佑,这护佑当然不是权势和金钱,不是妈妈的代替,而是妈妈与她一起努力,一起奔跑前进,是交流和鼓舞带来的信心。

正确的教育造就成功的女孩,培养女孩的学习兴趣,可以让女儿快速提高成绩,也可以减轻自己的负担和压力。具备实力的女孩,未来定能在竞争激烈的大环境中出类拔萃。

尽早挖掘女孩的天赋,开启女孩有出息的一生

女孩天生乖巧,比男孩更懂事,女孩小的时候,她们也往往会表现出很多出色的天赋。当同龄的小男孩还说不出一句完整的话时,小女孩已经可以跟人聊天了;当同龄的小男孩还热衷于玩变形金刚和玩具枪时,小女孩已经能歌善舞了;当同龄的小男孩常常因为一点儿小事而打架时,小女孩已经充当起了人际关系的调解者……但我们深感奇怪的是,随着年龄的增长,小女孩的这些天赋和特长就不复存在了。

面对女儿天赋的消失,很多妈妈很迷茫和不解:为什么女儿越长越"没出息"呢?其实,并不是女孩越长越没出息,这与女孩的发展规律有关。青春期之前,女孩的智力要比男孩发展得快一些,这时的女孩会表现出很多优势。但到了青春期,由于受身体和情绪等因素的影响,女孩的优势会渐渐减少,但值得注意的是,这并不是影响女孩发展的主要因素。其实,妈妈对女孩的态度

第09章
能力培养，妈妈要做女孩天赋与潜能的开拓者

往往决定她的未来。女孩是敏感的，青春期的女孩更敏感，家有女孩的妈妈更能深刻地体会到，她们时常会为妈妈不经意的一个眼神、一句话、一个动作而伤心，女孩很在乎妈妈怎样看她。因此，妈妈要尽量做到尊重女孩的感受。妈妈如果想要开发女孩的天赋，就必须给女孩正确积极的引导。

"妈妈对女孩的影响是潜移默化的，它不仅塑造着女孩的人生观和价值观，还描绘着女孩眼中的自己。如果妈妈眼中的女孩正直自信，女孩就不会辜负这份信任；如果妈妈眼中的女孩懦弱无能，女孩就会对自己产生怀疑。"这是儿童心理学家总结的一段话。

但在生活中，妈妈真正做到从正面给女孩鼓励了吗？女孩唱歌跑调了，妈妈马上纠正，并且还说："别再折磨我们的耳朵了！"女孩把刚从幼儿园学到的舞蹈跳给妈妈看，妈妈看完后笑得肚子都痛了，最后给了女儿一句评价："宝贝，你的舞蹈好奇怪呀！"女孩是很敏感的，妈妈作为她最亲近的人，都这样对待她的"作品"，这对她的心理将会造成很大的伤害，这些消极的声音会严重打击她的积极性，阻止她沿着天赋的道路继续走下去的脚步。而积极和鼓励的声音则不一样，让我们来看看几位母亲的育女经验：

"莉莉8岁的时候，我给她做了一块小黑板，她每天都教邻居家4岁和5岁的小男孩识字。现在她是一所中学的教师，学生们都很喜欢她。"

"很多年前，我给女儿娜娜买了一个漂亮的芭比娃娃，接下来的日子，我发现女儿经常给娃娃做新衣服，虽然她做的衣服剪裁还不够细致，针脚也不够整齐，可是非常有创意，她也很善于搭配色彩和花纹，现在她正在读服装设计专业。"

"一天晚上，我在厨房做晚饭，听到客厅传来并不是很好听的歌声，我走进客厅，看到我10岁的女儿在随着音乐伴奏唱歌，我马上对她说：'宝贝，你唱得简直太棒了！'现在她已经出了自己的专辑，我是她忠实的歌迷。"

从这些成功教育女孩的母亲身上，我们可以发现，每个女孩都是一粒亟待发芽抽枝、开花结果的种子，也许她是玫瑰花种，将来会绽放绚烂的玫瑰；也许她是一株小草，将来会焕发出绿色的、倔强的生机……然而，有一点不容

置疑：女孩天赋的发挥离不开妈妈的支持和鼓励。

那么，妈妈到底应该挖掘女孩的哪些潜能和天赋呢？

第一，让女孩尽情发挥语言天赋。

与男孩相比，语言天赋是女孩很早就显示出的天赋之一，由于大脑结构的优势，女孩通常能够比男孩更早、更生动、更流利地使用语言。通常男孩到4岁半才能讲清楚自己想要表达的内容，而女孩3岁时就能做到了。女孩能使用更多细腻、生动的词汇，正是由于女孩具有这种天赋，所以妈妈更应积极鼓励女孩说出自己的感受和体验，表达自己的观点。

第二，发挥女孩心灵手巧的天赋。

当男孩还在为写不好字而着急时，女孩已经初显心灵手巧的潜能了。当妈妈发现女孩的天赋时，就要给予孩子鼓励，鼓励她发挥自己的天赋，给予夸奖和积极的暗示。

第三，发挥女孩人际交往的天赋。

女孩天生喜欢语言、社交和与人交流，所以妈妈可以鼓励并引导女孩参与人际交往，这对女孩今后的生活大有益处。

总之，培养女孩就要挖掘女孩的潜能、发现女孩的天赋，妈妈一旦发现了女孩的天赋，就要积极地加以引导，这样女孩所具备的那些天赋才会成为她终身的财富。

妈妈绝不能"以成绩论英雄"

在科学技术飞速发展、人类精神文明不断升华、物质文明日益丰富的今天，女孩同样需要在社会上打拼，于是，很多妈妈将大量心血倾注在女孩身上。为了让女孩拥有一个美好未来，她们殚精竭虑，绞尽脑汁，"恨不能将一腔热血，化作浇灌幼苗的春雨"，最终将女孩成才的标准系在了分数上。的确，妈妈都希望自己的女儿考高分，这是无可厚非的，但是，如果不能很好地把握这个度，很可能走向极端，使分数成为孩子成长的枷锁。

培养女孩，一个很重要的部分就是挖掘孩子的智慧，但考试只是检验女孩学习情况的一种手段，是一种比较单一的检测，一般来讲是对女孩学到的书本知识的抽查。分数永远只是个形式和手段，它不能证明孩子真正学到了多少知识，也不能证明一个孩子的品格与才能如何，它不是衡量孩子聪明与否的唯一标准。

一般来说，分数能反映孩子的一些情况，妈妈关心女孩的分数也是应该的。但是，有的妈妈望女成凤、用心良苦，把学习成绩看得太重，逼着孩子去争高分，殊不知，这样会带来许多不良的后果。这会导致女孩在人生的路上"输不起"，对于女孩潜能的发挥也有一定的限制作用。

第一，过于看重分数，会让女孩惧怕考试。女孩天生是快乐的公主，高强度地学习，会影响她的学习效果，这就是为什么很多女孩平时学习成绩很好，但一临近考试就紧张，担心考不好，越害怕越容易出错，也就越考不好。

第二，过于看重分数，会损伤女孩的自尊心。当女孩没考好时，如果妈妈只关心孩子的考试成绩，不分青红皂白，轻则辱骂一番，重则打一通，会使孩子感到委屈，自尊心受到伤害。长此以往，会使孩子自暴自弃，造成孩子厌学。

第三，过于看重分数，容易造成女孩与妈妈的对立。有人说，女孩是妈妈"最贴心的小棉袄"，但很多妈妈却因为女孩的考试分数低，对孩子训骂，这时女孩就不会觉得妈妈是爱她的，而是容易认为妈妈只是喜欢她的高分。这就容易造成妈妈与孩子间感情的对立。

当然，我们并不一概反对看重分数，因为分数在一定意义上也能反映出女孩掌握知识的程度，反映出女孩运用知识解决问题的能力。但是，考试分数高并不表示将来走上社会也一定会成才，而考试成绩不好更不表明将来会一事无成。

妈妈不能忽略了孩子的全面发展。除了分数，孩子的品德修养、性情习惯以及解决问题的能力，都会影响孩子的一生。未来的社会越来越需要有能力

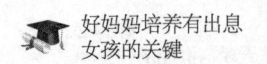

的人才，妈妈一定要注重培养孩子各方面的能力。

女儿刚上小学，一年级第一学期期中考试，考了个双百，全家人都很开心，女儿更是兴奋不已，第一学期期末考试又是双百，自然又是一番庆祝。但是，我感觉这样下去，不一定是好事，只不过当时也没有太在意这些。一年级下学期，平时测验试卷拿回家的时候，只要是满分，女儿总是神采飞扬地和我们谈论，只要不是满分，女儿就像犯了很大错误似的，头低得很低，甚至不敢和我们交流。我逐渐意识到这里的问题了，我告诉女儿，不要在意这些分数，无论是平时的测验，还是期中期末的考试，只是对你这一段时间的学习进行检查，看看哪些知识真正掌握了，哪些知识还没有吃透，然后再将没有吃透的部分进行复习，争取掌握就行了。考满分固然欢喜，考两个零分回来，我们也不会批评你的，不要有太多的想法和压力了，快乐学习最重要，即使是零分，我们只需要知道这是什么原因导致的，然后去总结，继续进步，就行了，你还是最棒的。进行了一系列的开导，女儿终于学会轻松地去学习，轻松地去考试了。

这位妈妈的做法是正确的，只有不过分地带着功利心去学习，女孩才能轻松地学习，她的潜能也才能得到发挥。那么，妈妈到底应该怎样对待女孩的分数呢？

第一，不盯分数，看学习效果。

妈妈在督促女孩学习的时候，不要只盯着女孩的考试分数，更应该看孩子实际的学习效果。不能仅以分数作为评价女孩学业水平的唯一标准，要以一种平和的心态对待孩子的考试分数。孩子考好了，不妨进行精神鼓励；如果孩子考试成绩不理想，要帮助孩子认真分析，找出失误的原因，并鼓励孩子继续努力，这样孩子才会情绪稳定，自信心增强，身心各方面才会健康发展。

第二，承认孩子存在差异。

女孩和男孩之间，甚至女孩与女孩之间，在学习能力和方法以及智力上都是有差异的。其实，很多女孩明白学习的重要性和竞争的压力，但每个孩子由于智力的因素和非智力的因素，学习成绩总会有差异。妈妈要做的是认真了解情况，听听孩子的解释，不能武断地得出孩子学习不努力、不用功的结论。要以尊重平等的态度和孩子一起分析、解决学习中遇到的问题，帮助孩子掌握适合的、有效的学习方法，制定适当的目标。

第三，女孩成绩不好时给予宽容和鼓励。

妈妈永远是女孩受伤时停靠的心灵港湾，女孩考试失利时，她已经非常难过了。这时候，妈妈更不要刺激孩子，而要拿出宽容和安慰，一定不要在孩子的伤口上再撒上一把盐。同时也要不忘对孩子说"下次努力"，让孩子把目光转向下一次机会。

妈妈应该引导与帮助孩子提高学习成绩，这本来是无可厚非的，但决不可过分看重分数，要重视女孩的素质教育，以利于孩子全面成长。妈妈应通过对孩子的教育，发掘孩子所蕴藏的潜能，从未来社会对人才的要求来看，真正能在社会上获得很好发展机会的人才，都是具备很好的创新能力的人，因此，妈妈不要为了追求短期效应，让女孩有太大的压力，那样，总有一天孩子会被压垮的，不要让分数成为孩子的枷锁，让女孩快乐地学习和成长，才是真正的培养女孩。

永远保护好女孩的想象力

我们深知，同样是思维，有些女孩缺少丰富的想象力，她们更善于接受已定的计划。而正是这种想象力的缺乏，让女孩思维能力的发挥受到限制，不利于女孩今后的发展，因为在当今社会，敢想、敢做的女孩才能在人群中脱颖而出，才能创造性地完成自己的人生目标。

想象的重要性我们深信不疑，有人生活的地方，都离不开想象。爱因斯坦说："想象力比知识更重要，是知识进化的源泉。"黑格尔在《美学》一书中指出："最杰出的艺术本身就是想象。"毕加索也曾经说过："我花费了终生的时间去学习像孩子那样画画。"这说明孩子天生就具有想象力丰富的特点，这在他们的成长中有着重要作用。女孩想象力的相对匮乏，并不意味着女孩想象力的缺失，也并不能阻碍她们智慧的获得。

实际上，小女孩从3~4岁开始，就已经有了丰富的想象力，如在想象性游戏中，常把玩偶当作自己的朋友，拿杯子给娃娃喝水，拿小手帕给娃娃擦眼泪等，大人说玩轮船游戏，小女孩能主动提出游戏的情节、角色的分配以及玩法等。

这一切都反映了女孩无处不在的想象力。妈妈一定要开发和挖掘孩子内在的想象潜能，把这种想象潜能转化为一种智慧和能力。那么，妈妈该如何培养女孩的想象力呢？

第一，培养女孩的观察能力。

妈妈要清楚地认识到，所有的想象都必须建立在现实的观察之上，没有一个人的想象力能离开他对现实世界的观察和联想。那么，要想培养孩子的想象力，首先就必须培养孩子的观察能力。其实，女孩本身就是细腻的，喜欢用眼睛去观察周围的世界，然后得出自己的结论。因此，妈妈应尽可能地引导孩子多观察周围的事物，教给孩子准确观察周围事物必需的方法。这样孩子的想象力才有现实的基础，才会更精确，更有创造性。

第二，保护女孩自发性的想象行为。

对于孩子自发的富有创造性的想象力行为，妈妈一定要小心呵护，绝对不要阻止她们这些自发的活动。每当发现孩子们在进行这些活动的时候，妈妈需要做的就是等待——除了观察和等待之外，不需要提供任何不必要的帮助，除非孩子主动请求妈妈的援助。

第三，把孩子的想象变成现实，而不是让女孩空想，要为孩子的想象力奠定现实的基础。

基础打得越牢，孩子的想象力就越会得到大的发展，任何夸张或粗糙的空想都不能使孩子走上正轨。我们只有做好了充分的准备，才能为孩子的想象力开掘出一条壮阔的通道，让孩子们的智慧之泉流淌。

有位母亲产生了这样的疑问："当我女儿在桌上不断地用手指比划着想象在练琴时，如果我们真的向她提供一架钢琴，这到底是件好事还是件坏事？假如我们这样做了，孩子的想象力是不是就得不到应有的锻炼了……"

这个母亲的担心的确有一定道理，但实际上还是应该为女孩提供真正的钢琴。因为孩子这一想象中的需求如果得不到满足，她的想象力一样会受到限制，从而在这一点上停留过久。如果她拥有了梦寐以求的东西，就会得到及时的训练，提高自己的能力，甚至想象自己已经成了一名伟大的音乐大师。很多音乐家就是这样成长的。永远不要担心孩子的想象力会穷尽，因为一个想象得到满足，会激发更新更高的想象。

而随着一天天长大，女孩就会对以前那些简单的想象失去了兴趣，她们的想象力就会转移到对伟大的艺术作品的阅读和创造上来。这时，妈妈需要配合孩子想象力的成长，提供更具想象力的空间，来开发她们的创造力。毕竟，孩子应该能够超过我们，从这个意义上来说，我们对孩子想象力的发展不应该做过多的限制。

想象力能活跃女孩的思维，诱发创造的情趣，有利于智力发展。然而，妈妈一定要注意：创造性想象并不是一种虚无缥缈的空想。许多孩子喜欢在虚无的、令人痴迷的世界里漫游，她们被一种世界上从不存在的东西给吸引住了，但这些虚无缥缈的东西并不能代表真正的想象力。要知道，真正的想象力都是有现实依据的，没有任何一种想象能够脱离现实而独立存在，一旦脱离就很容易变成空想，孩子每天沉浸在这样的空想状态，神情就容易变得恍惚虚幻，长大以后容易与现实社会格格不入，很难在社会上正常生活。所以，女孩的想象力需要妈妈的引导，需要妈妈为其插上翅膀，这时想象力才会变成女孩独特的智慧。

第10章
气质修炼，知书达理的女孩人见人爱

俗话说："相由心生。"但容貌绝不是女孩的全部资本，只有用积淀的内涵形成的气质才会让女孩超凡脱俗，否则，女孩的美貌最终会流于世俗，并不能成为长久的资本。女孩的气质是由内而外散发的一种馨香，来自她优雅的举止，来自她的审美，来自她的博览群书，来自她的琴棋书画无所不知……妈妈如果在女儿还小的时候，就注重对其气质的培养，那么女孩长大成人之后，必将成为一位高贵、文雅、知书达理、人人赞赏的优秀女性。

镇定自若、气定神闲的女孩拥有过人的魅力

所谓镇定自若,就是一种气定神闲的气质,就是能使自己的心境不随着外界环境的不同而改变。具体来说,就是指在顺境中,不狂妄自大、盛气凌人;在逆境中,不惶恐气馁、垂头沮丧;在安逸环境中,不奢侈放纵、盲目攀比;在危急情况下,不惊怕恐惧、慌慌张张。古时在衡量将士能力时也认为,心中有惊人想法或消息而不在脸上表现出来的人,可以任命做上将军。同样,一个女孩子如果能在与人交往的过程中保持镇定自若的态度,她也一定会备受关注。

随着社会的发展,女孩的气质也越来越重要。遇事能够镇定自若的女孩,懂得如何用恰当的方法"自救"或"他救",使自己摆脱困难,解除妈妈的担忧。但是,随着物质生活的逐渐丰富,一些女孩的心理问题也随之出现。妈妈教育方式不当,学习压力过大,离婚和再婚家庭增多,社会的不良影响等都是引发她们心理问题的原因。但归根结底,孩子的问题就是妈妈的问题。

的确,做到镇定自若对于一个成年人来说都绝非易事,更何况柔弱的女孩,但让女孩也学会镇定自若并非不可能,那么,妈妈该怎样下功夫,培养女孩镇定自若的气质呢?

第一,妈妈要摆正心态,给女儿以精神上的榜样作用。

妈妈要想让女儿心理健康,能够镇定自若,自己首先要摆正心态,遇事不慌张,积极想办法解决,因为妈妈是女孩的榜样。培养女孩镇定自若的气质并不难,可以让她多与他人沟通,从做一些力所能及的事情开始,比如,给邻居送东西、吃饭前摆放好碗筷、到商店或菜市场买东西、接听家里的来电、

第10章
气质修炼，知书达理的女孩人见人爱

到物业公司报修、开学自己报到等，锻炼她的社交能力，使她知道自己能够做许多事情，以后当她遇到难题时或者不如意时，她就能保持镇定，冷静地分析问题，想办法解决问题或保护自己。

第二，让女孩具有坚强的性格。

赖斯是一位举世瞩目的女政治家，她是一位镇定自若、优雅迷人、极度忠诚的女性，是每一个女人都应效仿和学习的对象。

在传统上由男性主宰的领域里，她是第一位升迁到最高层的黑人女性。她有着不平凡的人生经历，做过学者、教授、教务长和外交政策顾问。她走过亚拉巴马州的伯明翰、科罗拉多州的丹佛、加利福尼亚州的帕洛阿托，最后在47岁时进入白宫。作为一位政坛上的女强人，她杰出的从政之路对任何一个国家和阶层的女性都是一种激励。而赖斯妈妈对她的教育也值得天下妈妈借鉴。

1954年11月14日，赖斯出生在美国亚拉巴马州的伯明翰。她妈妈的家族到赖斯出生时，已有了比较高的社会地位。赖斯的父亲在取得神学硕士学位后，接管了由赖斯祖父创立的教堂，后来还担任了丹佛大学副校长。

赖斯家相信：只有当孩子们付出的努力比白人孩子高两倍，他们才能有相同的成果；高出三倍，才能超越对方。而这也正是妈妈教给小赖斯的第一堂课。

较高的社会地位并没有改变赖斯是一个黑人女孩的事实，她同样面临着种族歧视的伤害。她几乎每天都生活在对种族歧视的恐惧中，因此，妈妈在这方面给予了她更多的指导和保护。谈到童年时受到种族歧视的经历，赖斯说自己的母亲是她"有力的捍卫者"。她的母亲是个勇于反抗的人，同时也是一个镇定自若的人。她不卑不亢，总是极力维护自己的尊严，同时，又保护了黑人的形象。母亲是赖斯心目中的英雄，也是她的榜样，赖斯的成长过程中充满了艰辛，但是她表现得很坚强，很积极。

正是这些与众不同的经历，锻炼了赖斯镇定自若的气质，在踏入政坛以后，她经历了各种坎坷，而每次她都应付自如，这不能不说是得益于妈妈对她的教育。经历了挫折和磨难的孩子，总会比别人更理解这个世界，她们能理解变化，能够应付变化，而且在变化的世界中能够不断前进，寻找属于自己的位置，这也是赖斯成功的原因之一。

第三，开阔孩子的眼界。

一定不能把孩子放在蜜罐里溺爱，而要把她放进社会的熔炉中进行历练，只有见过大世面，女孩才不会显得太小气，同时，她们没有斤斤计较的小市民心态，凡事都能够从宽处、大处着眼，自然能够在顺势时不骄，逆势时不馁。当女孩经历了各种各样的事情，有了一定的处世经验，自然也就拥有了处理突发事件的能力。

女孩子的镇定自若是难得的一种气质，那会让她更具有优势，因此，要在培养孩子气质方面下功夫，让孩子变得坚强，同时，能够让孩子经历各种事情，所谓"吃一堑，长一智"，循序渐进，孩子自然就拥有这种独特的气质了。真正的培养女孩，不是让女孩在温室中成长，而是要给孩子更多的空间，让她自己去经历，去体会，去总结，这才是最有效果的教导方式。

永远不要打压女孩活泼的天性

女孩天生比男孩安静、细腻，但并不代表作为一个女孩就不能活泼。很多妈妈认为，一个活泼的女孩很难有淑女的气质，但妈妈不明白的是，活泼也是一种独特的气质，只要不过分好动，活泼的女孩更招人喜爱。因为孩子生来是活泼的，妈妈不能为了孩子将来成才，就要求孩子接受自己的安排，做各种各样的事情，这样美其名曰为了孩子，不如说是为了自己，因为孩子在不自由的氛围中很难有能力的增长，只会显得呆滞木讷，这绝不是培养女孩的目的。

在"不能让孩子输在起跑线上"这一社会风向下，很多妈妈为了把女孩培养成一个真正的全能型淑女，就不停地为自己的孩子安排各种培训班，企

第10章
气质修炼，知书达理的女孩人见人爱

图让孩子掌握各种技能，备战竞争激烈的未来。这样的做法似乎无可厚非，但是，妈妈常常忽略了一点，那就是这种做法会埋没孩子活泼的天性。女孩活泼的童年失去了，女孩天真的脸上没有了笑容，取而代之的是厚厚的眼镜，是被紧张学习压迫的苦闷的脸。女孩有女孩的培养方法，女孩情商的培养更为重要。妈妈要让女孩拥有快乐的童年，一定要让孩子体会到充足的快乐，让她快乐地没有压力地成长，让她活泼的天性永久地保持下去。因为真正能够挖掘出孩子潜力的，是在她玩得非常开心的时候。

6岁的小雅相对于其他同龄的女孩来说，显得格外活泼好动。周末，妈妈带她到公园去玩。妈妈一边在前面走着，一边轻声和女儿交谈着，可是一回头却发现小家伙不见了，妈妈急忙四处寻找，发现在不远处的草地上，小雅正趴在地上，专注地玩什么东西。

妈妈悬着的一颗心落了下来，她悄悄地走到小雅背后，发现小家伙正专心致志地用一根草棍拨弄着一只小蚂蚁，翻来覆去，仔细观察蚂蚁的每个动作。"宝宝，你在干什么？"妈妈问。"妈妈，我正在玩小蚂蚁。"小雅连头也没回，妈妈立刻意识到，这是孩子好奇心的表现。

回家后，妈妈给小雅买了一只玩具小鸟，它会叫、会飞。小雅高兴极了，爱不释手，她刚一拿到手就开始专心致志地观察小鸟的各种动作。第二天，当妈妈下班回家，却发现女儿正动手拆玩具鸟，桌子上已经有了几个小零件。见妈妈来了，小雅显得有些害怕。妈妈故意板着脸问："你怎么把玩具给拆开了？"小雅怯生生地说："我只是想看看它肚子里有什么，为什么会扇动翅膀、会叫。"

妈妈很高兴，她相信会玩的孩子才能会学，她必须抓住这个时机，培养孩子的智力。于是，她鼓励女儿说："宝贝，你做得对，应该知道它为什么会扇动翅膀。"听了妈妈的鼓励，小雅高兴极了。不一会儿就把玩具鸟给拆开了，并开始观察里面的结构。

小雅妈妈的做法是值得借鉴的，会玩的孩子才会学，活泼也是一种气质，每一个活泼好动的孩子，总是具有敏锐的观察力、想象力和思考力，而这些是成才的关键。

对于一个女孩子来说，活泼一点儿，说笑玩闹中自有一种别样的风采，人生不能如死水微澜，像鲜花一样的女孩子，不能培养成一个死板的淑女，这不是教育孩子的真谛。可是现实生活中，很多妈妈开发孩子的智力时，往往只注重孩子认知能力的发展，却忽视了情感因素在智力中起到的巨大作用，也就是人们说的情商。上文中小雅的好奇心与活泼的天性，就是她情感因素的重要方面，而小雅妈妈就做到了开发和培养女孩的情商。

正确地培养女孩，就应该根据女孩的天性来培养。也就是说，女孩子的成长过程就是不断学习她应该学的事情。妈妈培养女孩，但很多时候却在阻碍着女孩成长：命令她去做这做那，让她把学习当作任务去完成，甚至为此去批评、责骂，让她战战兢兢。孩子在成长过程中不应受到这样的待遇。这样做的结果很可能是既让孩子对学习感到厌倦，同时还毁掉了女孩子应有的气质，使她变得情绪低落、混混沌沌、行动迟缓。

所以，妈妈一定不能过于限制女孩非常看重的、与生俱有的自由，不能埋没女孩活泼的天性，把孩子培养成一台只会听话却不懂思考的机器，让一个原本活泼的小公主长成了一个呆滞的榆木淑女。妈妈正确的做法是，针对她们的特性，利用她们内心所期待的快乐，让她们得到自己最喜欢的自由，这对于她们是一个不小的鼓励，同时还保留了孩子的活泼天性，维护了孩子的情感。这才是培养女孩活泼气质的精髓之一。

腹有诗书气自华，从小培养女孩的阅读兴趣

培根说："书籍是在时代的波涛中航行的思想之船，它小心翼翼地把珍贵的货物运送给一代又一代。"歌德说："读一本好书，就是和许多高尚的人

第10章
气质修炼，知书达理的女孩人见人爱

谈话。"书籍是人类进步的阶梯，是智慧的源泉，而对于女孩来说，读书是培养气质的最好方法，读书能给女孩带来内在的积淀和更加深邃的内涵美，而相反，一个不读书的女孩即使外表美丽，也只是流于世俗，而不能上升为真正的气质。培养女孩爱阅读的习惯能让她们受益终生。妈妈要培养女孩公主般的气质，就要让女孩多读书，这不仅能开阔女孩的眼界，更重要的是，这能够让女孩的修养和品位提升一个层次。

但实际上出于很多原因，女孩在很小的时候对书籍的好奇以及兴趣经常被以妈妈为中心的家庭教育扼杀了，有些妈妈认为"女孩读课外书无用"，有些妈妈则认为"孩子应该把精力放在学习上，阅读太多课外书会影响学习"，他们忽略了女孩情商的培养也同样重要，因为读书使人明智，女孩的气质很大一部分是从书中获得的。当女孩与人交谈时，能娓娓道来、引经据典时，女孩便能获得别人的赞赏，一个博学多才的女孩往往在气质上更胜一筹。

"我知道读书对于女孩很重要，因此，努力使女儿爱上阅读是我一直追求的目标。小家伙4岁时开始，我就坚持每周末带她去书城读书，那时候她还不认识字，每次都是我给她朗读，之所以选择去书城，是想让她感受读书的氛围。晚上睡觉前，我总会给她讲20分钟左右的故事，女儿很喜欢听，经常被逗得哈哈大笑。女儿在学前班学了3000个常用汉字，这真是件大好事，从这以后她就能独立阅读图书了。现在，女儿在同龄女孩中显得更睿智一些。"

这位妈妈的做法是明智的，孩子们其实在智商上并没有太大的差别，但有些女孩能鹤立鸡群，受人赞赏，就是气质上与众不同，从小通过读书培养女孩的气质，能让女孩成长得更加自信、更加健康。

那么，怎样才能使女孩爱上阅读呢？又怎样指导女孩阅读呢？当然，这重在引导：

第一，去伪存精，为孩子挑选健康、积极、有益于女孩身心发展的书刊。

我们不得不承认，现在市场上充斥着各种题材的书刊，但并不是什么书都是适合女孩阅读的，妈妈应该为女孩选择真正有品位、适合年龄和性格特点的书刊。

约翰逊医生说:"一个人的后半生取决于他读到的第一本书的记忆。"因此,妈妈一定要很小心地把第一本书放到孩子的手里。不要过于强调女孩阅读的数量,那样只会让孩子装了一肚子的书,却解决不了生活中的一个小问题。所以,妈妈要引导孩子,让她们熟悉并鉴赏优秀的文学作品,不要浪费时间阅读垃圾文字。

第二,注意培养女孩的阅读方法。

当女孩年纪还小、无法理解很多文字的时候,妈妈可以与孩子共同带着感情朗读,这样有利于培养孩子的表达能力以及想象力。妈妈可以选择大号字体印刷的书籍,并指着文字大声朗读,来帮助孩子们阅读。妈妈在读书的时候,孩子也会跟着进入书中的情节,很快孩子就会认识很多生字,并独立阅读。

第三,和女孩进行亲子阅读时,不要忽视身体语言的作用。

模仿是孩子学习的主要方式之一,妈妈可以将书中的内容用丰富的肢体语言表演给孩子看,孩子在模仿的过程中就会更好地理解书中的内容,并能激发她的想象力。睡前时间是最佳阅读时机,幼儿在浅睡眠时期最容易进行无意识的记忆,因此睡前的阅读时间一定要利用好。

第四,为了增强和激发孩子阅读的兴趣,建议妈妈们将书本上的知识与生活经验结合起来。

比如,在和孩子一起读过海洋动物书后,就可以带她去海洋馆亲眼看看海豚、海豹到底是什么样子;看过植物书后,则可和孩子一起去植物园或野外认识各种可爱的植物。这样就可以使阅读变得很有趣,孩子读书的兴趣就会逐渐建立起来。

其实,让女孩爱上阅读并不是什么难事,关键是妈妈要知道想让孩子读哪类书,还要进行有目的的引导,只有这样,孩子才能够按照妈妈的期待爱上读书。当你的女儿爱上阅读以后,她对于自我气质的培养也自然会有一个全面的认知和理解,气质也就能由内而外散发出来。

女孩的音乐素养要从小开发

女孩天生对声音和语言比较敏感，比男孩更加能感悟音乐，我们不难发现，很多女孩小的时候，比男孩更喜欢听摇篮曲，比男孩更喜欢唱歌，但随着年龄的增长，很多女孩的这种天赋就慢慢消失了，这主要是由于家庭教育的缺失，妈妈让女孩把过多的精力投入学习上，而忽略了开发女孩的天赋。妈妈不仅是女孩生命蓝图的缔造者，还是维护者，在女孩的成长过程中，良好的教育会使女孩的生命蓝图更加壮观，而如果是劣质的、枯燥的教育，那么，这种生命蓝图就会遭到破坏。

能否及时地开发女孩的音乐素养，不仅可能影响到女孩的未来，更决定了女孩成长为一个女人所应该有的气质，有气质的女人钟爱音乐，但不是让自己看似某一类人而附庸风雅。因为在她们看来，听音乐就像呼吸空气一样自然，并且不可缺少。当大多数人争先恐后地要冲入"神秘园"时，当大街上充斥着萎靡的低吟时，有气质的女人总会莞尔一笑。

有位妈妈这样述说自己在培养女孩音乐天赋上的成就感：

"我的女儿是有音乐天赋的。学校音乐老师也称赞她，主要是她唱歌的音调、节奏都不错。女儿近3个月来，每到用餐时就会打开音响，播放名家的经典钢琴曲，我不仅让她跟老师学钢琴，而且还时常让她置身于钢琴音乐的氛围，长此以往，音乐素养就会渗透到骨子里去，让她真正喜欢钢琴，喜欢音乐，使音乐、钢琴成为她生活的重要部分。"

这位妈妈在开启女儿音乐素养上投入了心血。音乐和美术、文学、舞蹈、阅读等一样，都应该成为儿童文化素养培养的一个重要部分，女孩更需要这方面的塑造。具备良好的文化艺术素养，能使女孩从小学会欣赏美、有生活情调，从而形成高雅的气质。

既然音乐与女孩气质的形成联系如此紧密，所以，妈妈不能再忽视甚至阻止女孩音乐素养的培养了，不妨把音乐添加到对女孩的教育中。具体来说，妈妈可这样做：

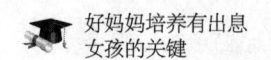

第一，当你发现你的女儿正在聆听一段动人的音乐或者自然界的一些声音时，不要打断她，让她静静地听。

第二，当你发现女儿在音乐上有天赋时，不要因为家里经济条件不好，就舍不得为她买心爱的乐器。要知道，这可能会影响到女孩的前程，甚至影响到她独特气质的形成。

第三，当你的女儿问你如何看待她练习的一段音乐时，不要随意应付这个问题，而要积极地肯定和鼓励她。你的肯定和鼓励会使她相信自己，使她产生继续努力的动力。

第四，当你的女儿不是很喜欢音乐时，为了培养孩子的气质，你需要进入孩子的世界，和她一起沉浸到音乐的氛围中，因为妈妈是孩子的第一任老师，女孩的很多兴趣爱好是培养出来的。

当然，以上这几点都需要妈妈在日常生活中根据女孩的特质来进行教育和培养，有气质的女孩爱好音乐，但不执着于一些流俗的音乐，这也需要妈妈的引导。

女孩的气质要从小培养

一个女孩，最动人之处莫过于脱俗的气质，当然，这里的气质与心理学中所指的不同，这里的气质侧重美感。气质决定女孩的魅力，气质好的女孩往往受人欢迎。然而，气质并不是仅靠外在的装扮，一个人的气质是指一个人内在涵养或修养的外在体现。气质是内在修养的体现，而不仅是表面功夫。如果胸无点墨，那任凭再华丽的衣服装饰，这样的人也是毫无气质可言的，反而给别人肤浅的感觉。所以，妈妈要从小培养女孩的魅力，就要从培养女孩的气质开始。提升女孩的气质，让女孩做到气质出众，除了让女孩从小学会穿着得体、说话有分寸之外，还要不断让女孩提高知识、品德修养，不断丰富孩子的内在涵养。

因此，女孩气质的培养可以分为外在和内在两个大方面，具体来说，妈妈应该做到：

第一，建立良好的外在形象。

不可否认的是，女孩是否能得到别人的赞赏，很大一部分原因取决于外貌。当然，良好的外在形象并不是要把女孩打扮得花枝招展，而是要让女孩看起来干净整洁，"女人是水做的"，这句话一点儿也不假，冰清玉洁、高贵典雅、柔美脱俗，这是女孩应当学会的自我装扮准则。

（1）让女孩冰清玉洁，最基本的是培养女孩喜欢整洁的习惯。过度洁癖虽然不太好，但是整洁是必要的。整洁大方、做事有条理、生活有规律，是气质好的必备条件之一。

（2）若要高贵典雅，就一定要培养女孩辨别是非的能力。一个能敏锐判断身边事物的女孩，才能有主见，只有有主见的女孩才会做事合理，能知进退，做事易成功，进而才能具备自信。

（3）若要柔美脱俗，则该培养其仪态形象。学跳芭蕾舞是一种好的方法，不仅塑身形，还可以增加身体的柔韧度。

第二，丰富孩子的内在涵养。

一个人的气质是内部的修养、外在的行为谈吐、待人接物的方式、对待问题的态度等的总和。优雅大方、自然的气质会给人一种舒适、亲切、随和的感觉。

（1）培养女孩的审美能力，随着孩子年龄的增大，妈妈应有意识地对孩子进行一些审美教育，让孩子懂得什么叫美。女孩的审美能力提高了，她才会远离丑，才能随时避免自己处于"不美"的状态。一个人的长相是天生的，但是对美的感悟却是不同的。审美力好的女孩可以把自己最美的状态展现给大家，也就是平时所指的"气质好"。

（2）腹有诗书气自华，妈妈应该让女孩多看书、多思考，气质不是短期之内就可以改变的，需要妈妈对女孩从小进行诗书教育。而同时，女孩审美能力也源于她的修养和文学内涵。

（3）给女孩一个良好的生活环境，开阔女孩的眼界。不一样的环境会造就不一样的人，一个人的阅历、学识以及对自己的了解程度都对气质有一定的影响。

（4）正确理解气质的定义。气质也是分很多种类的，比如张扬、灵性、清秀、妩媚，还有一种就是更难达到的高贵。可是很多妈妈却误解了，认为培养女孩的气质，就是一定要把女孩培养成在穿衣打扮、言行举止、一举一动上都绝不出格的"淑女"。

9岁的小然在班里有个外号"小喇叭"，一到下课，第一个冲出教室的一定是她，翻单杠、爬云梯，那些男孩都不敢玩的器械，小然倒一点儿也不害怕。但有一天，原本每天蹦蹦跳跳的小然突然变得稳重起来，做事慢条斯理，下课时，她走在全班同学后面，课间活动时，别人在一旁玩耍，她却安静地坐在台阶上看。老师问她怎么了，她从口袋里掏出一枚生鸡蛋，告诉老师："妈妈告诉我不能弄破它，以后我要做一个淑女。"

难道让女儿天天握着一个鸡蛋就能让孩子变成"淑女"？其实，小然妈妈的做法并不是最佳的办法，这不仅不利于孩子的身心发展，也遏制和破坏了孩子童年的快乐。每个女孩的气质类型都是不一样的，根据其特质培养，才能培养出真正有气质的女孩。

总之，妈妈用培养气质来培养女儿，比用服装和打扮来美化女儿，需要具备更高一层的精神境界。那么，妈妈就应该根据女孩的气质类型，让女孩从小修炼出良好的气质，让她懂得如何去发挥自己的优点及克服自己的缺点，从而使自己魅力大增。

从小培养女孩对生活的情趣

法国有一位哲学家说过这样一句话："女人不是生而成为女人，女人是后天培养而成的。"的确，生成的只是性别，是自然界生命的延续；养成的则是精神，是感悟生活、智慧沉淀所形成的秀于外、慧于中所展露的光华。妈妈要让女孩成为一个气质女性，就要让女孩从小学会有情调地生活，这样才能让女孩学会享受生活、感悟生活，从而把女孩培养成真正有品位、健康、漂亮的女人。

情调是生活的调味剂，妈妈可以从以下几个方面着手，让女孩懂得有情调地生活：

第一，让女孩学会修饰自己的仪表。

当然，这里的让女孩学会修饰自己的仪表，并不是让女孩过分注重自己的打扮，这里的"修饰"，是指女孩的一种审美能力的外在体现，比如一个小小的发卡、整齐舒适的发型等就能显露出女孩的气质和独特的审美能力。让女孩学会修饰自己的外表，并不只是一种情调。"服装整洁是最好的自我介绍"，在女孩与他人会面之前，整理自己的外表有两层意义：一是让别人正确地看自己，二是端正本身的"姿势"。

那么，妈妈应该让女孩怎样修饰自己才能达到凸显情调这一目的呢？

（1）修饰要符合女孩的性别、年龄特征。女孩有属于自己的打扮，这是毋庸置疑的。

（2）修饰要适合场合环境。妈妈应让女孩明白，在不同的场合环境，打扮和装束也要有所考虑。比如，如果去出席婚礼，应适当穿着华丽些。如果出席严肃隆重的会议，就应穿得朴素大方。

（3）修饰应注意扬长避短。这一点需要妈妈长期指导，女孩得体的修饰既可以充分展现其长处，也能掩盖她的弱点。不得体的修饰会突出女孩的缺陷，情调与气质也就因为这一不得体的修饰荡然无存了。

（4）修饰要以整洁、新颖、协调为原则。妈妈要教会女孩怎样正确地修饰，修饰首先要以整齐、干净、保暖或凉爽的卫生原则为第一位。其次要做到新颖，但并不意味着怪诞。修饰不在于花样繁多，而在于协调。装饰品戴得太多反而显得庸俗。女孩的装束应符合年龄特点，以简单大方为主。

第二，让女孩学会使用香水。

当然，这是针对一定年龄的女孩来说，年纪尚小的女孩是不适合的。

要让女孩拥有情调，香水是不可或缺的，某种固定牌子的香水，会成为一个气质女孩的专有标志。此外，妈妈要让女孩明白如何正确使用香水。可以在空气中喷洒香水，然后走进香水的喷雾中，使香气均匀地散落在身体各处。还可以将香水涂在手腕、耳背、脖子等部位，尽量避免阳光能够照射到的部位，防止对皮肤造成伤害。此外，也可以在衣物、手帕上少量喷洒，但要注意防止香水对衣物染色。

第三，让女孩学会陶冶性情，这就需要女孩丰富自己的文化底蕴。

这里说的"文化"绝不是狭隘意义上的语文、数学、英语、地理等科目，而是对广泛知识的汲取，涉猎广阔，如对时事的关心，经常上网了解最新信息，多看展览，做生活的有心人，注重日常知识的积累，提高审美情趣，做事不人云亦云，有自己独到的见解等。有一定文化底蕴的女孩，就能在自我情绪低落的时候自我调剂，找本好书，泡杯好茶，不快的心绪也就不翼而飞了。

总之，一个有情调、有气质的女孩能在不经意间流露出她的美丽，她的美不是刺眼的妖娆与浓烈，不是灼眼的艳丽，是阳光下健康红润的面色，是洁净的甲缝，是光洁的鞋面，是似有还无的体香，是低柔的语调，是一言一行、一颦一笑间散发的耐人寻味的魅力，而不是华而不实的外表下遮蔽的空虚的心灵。有情调的女孩应该是在生活中经营美丽、创造美丽的高手，于点点滴滴中蕴藏温婉可人的雅致，悠悠如梅兰芬芳。然而，女孩的这种情调不是一朝一夕能促成的，需要妈妈倾注自己长期的心血，细心培育和呵护的女孩才会精致、有品位地生活。

告诉女孩要杜绝小家子气

女孩的气质很多是从举止上表现出来的，有气质的女孩拒绝小家子气，在未来社会，女孩同样需要接受社会的"检验"，只有落落大方、不卑不亢的女性才能得到别人的认同和赞赏，才能尽显一个女性的魅力。因此，妈妈在培养女孩的时候，一定要注意杜绝女孩的小家子气，让女孩大方待人接物，这对女孩今后的成长大有益处。

儿童心理学家曾在多所小学进行了调查，结果显示：平均5个小学生中就有2个腼腆的孩子，程度会因年龄不同而略有差别，其中60%以上为女孩子。女孩子更易害羞，这是一个不争的事实，害羞是女孩的天性，对此，妈妈若不能及时进行引导，就可能会导致女孩小家子气的形成，与人交往的时候显得忸怩作态，毫无气质可言。这就是为什么生活中我们总是能听到很多这样的声音：

"我家女儿很腼腆，如果让她在亲朋好友面前唱歌、跳舞、讲故事，她总是低下头，紧张得半天开不了口。"

"女儿从小就害羞，家里来了生人，她会很快躲到妈妈的背后，把脸藏起来。"

"女儿在幼儿园从不主动表现自己，回答问题不积极，不主动找小朋友玩……我问她为什么，她总是说不好意思。可是她在家表现得却总是很活泼。"

这些都是很多妈妈的感慨，在日常生活中，很多女孩在自己家中活泼大方、能说会道，可一旦到别人家里或碰到生人，就会局促不安、胆怯怕生，做什么事都要妈妈做主。对此，妈妈也很是无可奈何："这孩子，在家里挺能的，怎么出来就变样了？"诚然，每个女孩都有一个正常的害羞期，但随着孩子不断长大，如果女孩还是胆小怕事、小家子气的话，恐怕妈妈需要进行引导了。

可以说，很多女孩这种小家子气的形成，是和妈妈的教育有很大的关系的。

第一，妈妈过于溺爱女孩，让女孩没有独立面对人际的能力。

很多妈妈是把自己的女儿当成"大家闺秀"来培养的，女孩是妈妈眼中的宝贝，妈妈不忘对女孩才情的培养，但是忽略了女孩也将要成为社会的一分子，这样的女孩尽管能在知识储备上高人一等，但是没有熟练的人际交往能力，与人交往的时候，不能轻松自如，在气质上充其量是"小家碧玉"，而不是"大家闺秀"。

第二，很多妈妈喜欢给孩子"贴标签"。

很多孩子小家子气的缺点其实是妈妈长期给她"贴标签"的结果，当女孩在人前害羞的时候，妈妈不是鼓励女孩大方交往，而是给孩子的害羞找借口，长此以往，孩子也就更加不敢交往了。

每次带燕燕出去，妈妈总会提前给女儿打"预防针"：诸如见到认识的叔叔阿姨、爷爷奶奶要主动问好，人家问什么要好好回答。但女孩十有八九会拿她的话当耳边风，偶有巧遇，她也会把脸扭向一边根本不看人家；如果对方是高大的男性，她就干脆趴在妈妈身上，只留给人家一个后背。这时，妈妈往往会以"这孩子害羞"敷衍过去，觉得这样能在熟人面前挽回点儿面子。和燕燕妈妈一样，很多妈妈在孩子给自己"丢面子"时，都会赶紧向对方解释，"我女儿太腼腆"或"她是我们家脸皮最薄的"。可妈妈这样当着孩子的面说孩子害羞是十分不妥的，这就好似给孩子贴上了一个"害羞"的标签，当这种"我很害羞"的意识深深植入孩子的内心，她就会认为自己就是这个样子了，以后她还会利用这个标志来逃避不喜欢的人，这时，害羞就成为女孩一种有意识的行为。

第三，当女孩不能大方与人交流时，妈妈不是体贴反而指责。

扭捏、小家子气的女孩一般都会自信心不足，妈妈一味地指责只会让孩子的自信心再次受到打击。可以想象，一个自信心严重受创的孩子，又怎么可能变得开朗大方呢？

以上这些都是家庭教育中出现的一些误区，杜绝女孩的小家子气，妈妈必须杜绝这些教育失误，妈妈的教育决定着女孩能够成为一个什么样的人。

参考文献

[1]墨墨.培养有出息女孩的100个细节[M].北京：北京理工大学出版社，2013.

[2]赵雪峰，王玮.培养有出息女孩的120个细节[M].北京：中国纺织出版社，2010.

[3]赵灵芝.培养有出息女孩的关键细节[M].北京：中国纺织出版社，2016.

[4]王焕斌.有出息的孩子要克服的人性弱点[M].北京：中国纺织出版社，2015.